Quiero altamente recomendar este libro tan necesario. Sexo Divino trae esperanza y soluciones a miles de parejas que deben entender el poder de la intimidad creada por nuestro Dios. Gracias Jorge y Danisa por este mensaje tan poderoso, y por su ministerio tan ungido por Dios para salvar familias. Definitivamente, un libro que todo matrimonio debe leer.

Frank Lopez, Senior Pastor

Doral Jesus Worship Center,
Doral, FL

Recomiendo altamente este libro, Sexo Divino, porque he tenido el privilegio de ser mentor personal de los autores. Conozco su corazón y su pasión de cultivar una Iglesia sexualmente saludable, y todo su entrenamiento los convierten en expertos consejeros y educadores sexuales. Aprecio profundamente el ministerio de Jorge y Danisa, y sé que Dios usará este libro tan necesario de una manera poderosa.

Dr. Doug Rosenau

Author of *"A Celebration of Sex"* and co-author of
"Total Intimacy", Professor, Psychologist and
God's Missionary for Sexual Wholeness

A través de los años hemos conocido a Jorge y Danisa Suarez por su fidelidad, compasión y obediencia a la voz de Dios. Su pasión por Dios y de ayudar a la gente es evidente en todo lo que hacen. Su llamado consiste en llevar a la gente a un lugar donde puedan experimentar libertad de problemas sexuales y recibir sanidad de lo alto. Su sabiduría ayudará a cualquiera que tome tiempo para escuchar lo que ellos dicen, y a aplicarlo a su vida.

Dan & Jessica Roth, Senior Pastors
The Rock Church & World Outreach Center
San Bernardino, CA

Danisa y Jorge son expertos en la materia de terapia sexual, con el valioso beneficio de tener sus vidas fundamentadas en Jesús. De este libro puedes aprender cómo mejorar tu matrimonio y la intimidad que va mucho más allá del aspecto físico.

Rebecca González
Productora en Enlace TV
Dallas, TX

En 27 años de matrimonio, hemos pasado por muchas dificultades que se hubieran evitado si hubiéramos tenido un recurso como éste. Nadie nos habló de sexo. Nuestra idea estaba equivocada. Sin saberlo, ofendimos a Dios. ¡No más! Gracias por esta sabiduría que nos cambia.

Francisco y Diana Mejía, Lectores
Milán, Italia

Mis sesiones con Jorge han sido increíbles y poderosas. Apenas después de muy pocas sesiones, sentí que él se convirtió en más que un terapeuta, un amigo. Pude ver a Dios a través de él, y me inspiró a tomar mejores decisiones en mi vida.

Joven Recuperado, 17 años
Orlando, FL

Mi terapia con Danisa me ha permitido experimentar cambios muy importantes en mi vida. Ella es la mezcla perfecta del mejor profesionalismo y el toque personal, que la hacen simplemente única en su área. Su apoyo, empatía, y ánimo me han hecho abrazar una nueva etapa de transformación y sanidad.

**Esposa recuperada de traición,
adulterio y adicción sexual**
Kissimmee, FL

SEXO DIVINO

SEXO DIVINO

Vive aún tu mejor experiencia

Danisa Suarez, M.A., LPC, ST, SRT
con Jorge Suarez, M.A., RP, SRPC

Le dedico este trabajo al amor de mi vida, Jorge. Mi campo de entrenamiento. Sin ti nada fuera. Contigo todo ha sido. Encontrarte fue experimentar que la vida eterna comenzaba ahora. Gracias por enseñarme a sonreír, por creer en mí, por impulsarme. Soñar contigo ha sido una realidad que he vivido despierta. La influencia y el aporte de muchos autores permean las páginas de este libro... ¡pero la pasión, el romance y las vivencias solo vienen de ti! Mi amor por ti es inmensurable y hasta siempre. En tus propias palabras: "Queda corto el universo para nuestro amor".

"Hallé al que ama mi alma; lo agarré y no quise soltarlo".

—Cantares 3:4 (LBLA)

CONTENIDO

AGRADECIMIENTOS

Danisa

Gracias a Dios por darme la vida y depositar sueños en mí que solo Él ha sido capaz de desarrollar. Le agradezco por darme al hombre perfecto que pudo entender y abrazar mis locuras y complementar cada una de ellas a la perfección.

Gracias a mis padres, Miguel y Ramona, por proporcionarme la educación que escogí sin ningún tipo de reservas. Su esfuerzo y generosidad han sido pilares en mi vida. Papi, sé que desde el cielo te sientes orgulloso de mí.

Gracias a mis hijos, Dan Jorge y Sainad, fruto tangible de nuestro amor. Apasionados, intensos y presentes. Tener una madre terapeuta sexual nos ha dado muchas oportunidades para reír y conectarnos. ¡Siempre serán míos!

Gracias a mis pastores, Frank y Zayda López. Pudiera decir muchas cosas, pero su compromiso con nuestro matrimonio y nuestra familia lo sobrepasa todo. Sus enseñanzas, correcciones y confianza me inspiran y comprometen.

Gracias a mi maestro, mentor y amigo, el Dr. Rosenau. I cannot decide if I value your knowledge more than your wisdom. While I make up my mind about it I will hold on to your humble ways since we need so much more of that!

Gracias a todos mis pacientes, que han confiado en mí y me han permitido conocer una parte íntima de sus vidas. A través de los años ustedes me han hecho una mejor profesional y un mejor ser humano.

Gracias a cada pastor que me ha honrado con su plataforma. Todo mi agradecimiento para ustedes, que se han atrevido a romper moldes y resistirse a la religiosidad, contribuyendo a que nuestros matrimonios no perezcan por falta de conocimiento.

Jorge

Le agradezco a Dios por darme la oportunidad de plasmar mis ideas por primera vez en este formato, algo diferente a lo que ha sido mi costumbre de comunicarme a través de mis canciones en los últimos años. ¡Eres sorprendente, mi amado Señor Jesús, y todo te lo debo a ti! Para mí es muy emocionante presentarles el fruto de lo que representa toda una jornada de aprendizaje de alrededor de veintiocho años, y más emocionante aún hacerlo junto a la persona responsable de enseñarme los principios que comparto con ustedes en este libro, mi amada Danisa. Gracias por creer en mí y ser testigo de las vivencias y experiencias que Dios ha usado para avivar mi pasión por la consejería pastoral. Danisa, eres el reflejo más tangible del amor de Jesús que jamás haya visto en mi vida. Tu dedicación a amarme y tu forma tan exclusiva de tratarme han excedido lo que ninguna otra mujer hubiera podido ofrecerme. Te amo hasta el sol... y más allá. A mis hijos, Dan y Sainad, gracias por enseñarme a encontrarme cada día más en ustedes: son el reflejo de papi y mami en una perfecta fusión de determinación y entusiasmo, cualidades que tanto nos caracterizan.

Gracias a mi viejo, Manuel (el Lechón), eres mi inspiración y un ejemplo de denuedo y perseverancia hasta lograr lo que sueñas. Y qué puedo decir de mi madre, Juana, una mujer que a pesar de las oposiciones siempre se dedicó a creer y promover cada talento en mí. Te estoy por siempre agradecido, mamita linda.

AGRADECIMIENTOS

Gracias a todos los líderes y pastores que han invertido en nuestro crecimiento espiritual, protegiendo nuestro matrimonio, nuestra familia y nuestro llamado. A todos los pacientes/clientes que han puesto su voto de confianza en nuestro trabajo, y a las parejas que, en un sinnúmero de ocasiones, viajan desde cualquier parte del mundo para venir a nuestro Centro de Consejería Internacional. Nos honran al confiarnos un área tan delicada de sus vidas, su intimidad. Es mi oración que todo el contenido compartido en este libro sirva para traer más claridad, sanidad y sabiduría a cada lector, y así poder abrazar uno de los manjares más exquisitos que Dios haya preparado para cada hombre y cada mujer que decide unirse en matrimonio: el *Sexo Divino*. ¡Benditos aquellos que llegan a descubrirlo!

La salud sexual resulta importante a cualquier edad, y el deseo de disfrutar de intimidad es perenne. Cuando maduramos, posiblemente el sexo no sea igual que cuando estábamos en nuestros veintitantos, pero aún pudiera ser muy satisfactorio. Por lo tanto, debemos descubrir cuáles aspectos de nuestra salud sexual podrían cambiar con la edad y cómo ser capaces de adaptarnos junto a la persona que amamos.

Muchas personas llegan a esta etapa de sus vidas sin un entendimiento completo o profundo de la intención por la cual el sexo fue creado. Con un deseo de revivir la relación o mantenerla renovada, buscan en los lugares equivocados placeres momentáneos que nunca satisfacen. Una sexualidad íntegra, por el contrario, siempre eleva y nos hace sentir plenos. Esta es una sexualidad comprometida y santificada que persigue el bien del otro y se satisface dándolo todo.

Para mantener una vida sexual satisfactoria, es necesario hablar con tu pareja, así como disponer de tiempos especiales para mostrarse sensuales y sexuales juntos. Y al experimentar estos tiempos, deben compartir sus pensamientos sobre tener sexo, sus emociones y sus sentimientos relacionados con el acto. Ayudar a tu pareja a entender lo que esperas de él o ella es de suprema importancia. Ser honesto sobre lo que estás experimentando física y emocionalmente es clave si vamos a llegar a satisfacernos.

Las hormonas juegan un papel muy importante en la sexualidad de ambos. La testosterona, por ejemplo, desempeña un papel importante en la experiencia sexual del hombre. Los niveles de testosterona varían mucho. En general, los hombres mayores tienden a disminuir sus niveles de testosterona, al contrario de los más jóvenes. Estos niveles gradualmente declinan con el tiempo, por lo menos uno por ciento cada año después de los treinta.

A medida que el hombre envejece, el pene requiere mayor esfuerzo para tener una erección, y estas puede que no sean tan firmes. Así que se requerirá más tiempo para lograr la excitación y llegar al orgasmo y la eyaculación. La disfunción eréctil también es más común en este punto.

A medida que la mujer alcanza la menopausia, sus niveles de estrógeno disminuyen, causando resequedad vaginal y una excitación sexual más lenta. Los cambios emocionales pueden aumentar los sentimientos de estrés, lo cual puede hacer también que su interés en el sexo cambie.

Mientras que algunas mujeres pudieran disfrutar más el sexo debido a que no hay temor de embarazo, los cambios en la forma y el tamaño de sus cuerpos también pueden ser causa de que sientan menos apetito sexual.

Las diferencias en la libido son comunes en las parejas de cualquier edad. Algunos matrimonios se estancan en patrones donde uno de ellos es quien inicia mientras el otro evita. Si por lo general tú eres el que evitas, considera asumir la responsabilidad de conectarte. Si eres el que inicias, intenta compartir con tu cónyuge lo que necesitas.

Si te preocupa que puedas herir los sentimientos de tu pareja, habla de tu propia experiencia usando el pronombre "Yo" en tus declaraciones, como por ejemplo: "Yo creo que mi cuerpo reacciona mejor cuando..".. Con el tiempo, trata de entender las necesidades y deseos de tu pareja. Juntos pueden decidir cómo acomodar las necesidades de ambos.

INTRODUCCIÓN

Muchas parejas quieren saber cómo regresar a la excitación y los niveles de actividades sexuales que experimentaron en sus veintes, treintas, e incluso en sus cuarentas. Sin embargo, más bien recomiendo encontrar alternativas para optimizar las respuestas sexuales de tu cuerpo en el día de hoy. Pregúntense qué los satisface y cuáles cosas son aceptables para ambos.

La terapia sexual profesional sería una excelente opción para guiarlos a desarrollar una vida sexual más saludable y plena. No obstante, resulta aún más importante entender que el sexo es un asunto de dos. Que el sexo divino no es egoísta, no busca lo suyo y nunca deja de ser. Que el compromiso de un pacto para toda la vida marca una gran diferencia en nuestro deseo de crecer y nuestra actitud de ser mejores cada día. Aprender a entender y manejar nuestros cuerpos cobra menor importancia cuando nos dedicamos a aprender lo que Dios espera de nuestros corazones.

Es nuestro deseo que este libro rete tu vida matrimonial y sexual a fin de que escalen a niveles más altos y profundos de intimidad, afirmen los compromisos hechos para toda una vida, y disfruten el regalo hermoso del sexo divino.

EL SEXO:
UNA GRAN IDEA

1

por Danisa

El sexo fue y sigue siendo idea de Dios. Y todo lo que Él creó es bueno y perfecto. Dios lo concibió en su mente a tal punto que diseñó el cuerpo humano, tanto del hombre como de la mujer, para que se unieran físicamente y funcionaran a la perfección. Nadie pudo haber creado algo así, los detalles son simplemente impresionantes. Y Él nos dejó instrucciones en la Biblia sobre las cosas que debemos hacer para que esta sexualidad sea disfrutada al máximo. No hay nada que escape a su diseño perfecto, solo

3

tenemos que aprender y ser buenos administradores de este acto que Él nos dio para nuestro contentamiento y disfrute. Así que espero que en estas páginas puedas encontrar suficiente información e inspiración que provoquen un cambio positivo en tu sexualidad.

Erróneamente se piensa que Dios y el sexo no combinan, no van juntos, cuando en realidad este último tiene todo que ver con Él. Hasta pensamos que debido a que Dios ve esto como un acto muy carnal y vacío, debemos apresurarlo y llevarlo a cabo de forma muy rápida. Demás está decir que esta práctica rápida ha dejado a muchas mujeres sin conocer lo que es un orgasmo y a muchos hombres estancados en su proceso de crecimiento en esta área. Siendo así, muchos hombres son incapaces de satisfacer a sus propias mujeres, no porque

No hay nada que escape a su diseño perfecto, solo tenemos que aprender y ser buenos administradores de este acto que Él nos dio para nuestro contentamiento y disfrute.

sus herramientas no sean adecuadas, sino simplemente porque su visión está distorsionada.

Según su orden y conociendo a su creación, Dios creó a la mujer con una capacidad sorprendente para recibir y transformar lo recibido. Ella recibe un beso y lo puede convertir en un momento idílico. Es capaz de recibir una semillita muy pequeña del hombre en su vientre y nutrirla hasta que se convierta en una vida independiente. Ha sido dotada con un don inigualable, y aun teniendo muy pocas cosas en sus manos puede producir frutos que sobrepasan cualquier expectativa. Sin embargo, hay algo que noto, y es que la mayoría de las veces resulta necesario darle algo para que ella tenga con qué ser creativa. Así mismo ocurre en lo que respecta a su sexualidad. La mujer necesita un poco de tiempo, palabras tiernas, algunas caricias, y su cuerpo y su mente producen con ello una historia de amor real donde ambos pueden llegar a perderse en sí mismos, como dos individuos, para fundirse en uno solo. Y esta unión no es solo física, no solo se trata de dos cuerpos fundiéndose. Esta unión tiene que ser espiritual y emocional para que el vínculo físico produzca los frutos deseados.

De no ser así, solo se trataría de una unión igual a cualquier otro encuentro técnico o primario que pudiera compararse con el de los seres no inteligentes, como los animales, o el que tiene lugar entre personas que viven sin intensión o propósito. El mejor sexo se produce cuando hay un alto nivel de conexión emocional y espiritual, ese es un sexo divino.

Este libro no es solo para mujeres, a quienes reto a amarse a sí mismas de tal modo que resulte evidente, a abrazar su sexualidad como un regalo que se les ha dado personalmente, y a amar y entregarse a sus esposos en otra dimensión, comprometiéndose a satisfacerlos sexualmente a plenitud. Es también para los hombres que las aman y que quieren aprender la manera de vivir mejor con ellas y cómo satisfacerlas. Este libro está escrito con la intención de motivar a los matrimonios que viven en un estatus rutinario, donde no hay nada que descubrir y la pasión por la pareja está reducida a una que otra actividad predecible y ordinaria. También está escrito para aquellos que viven una vida sexual secreta y no saben cómo terminar con su doble vida; y para sus parejas que saben que algo no anda bien y no se atreven a reconocerlo o enfrentarlo. Y sí, también para aquellos otros que viven en una unión libre, a fin de que cuestionen algunas de las dinámicas que experimentan y consideren llevar su relación a un punto en el que puedan recibir todo lo que el amor comprometido y libre en verdad puede traer a sus vidas.

La buena noticia es que hay esperanza. No importa cuál es el estado de tu matrimonio o relación, puede ser mejorado. Aun si no existen conflictos aparentes, o si por el contrario hay problemas de cualquier tipo como infidelidad, adicciones sexuales, secretos, distanciamiento emocional o espiritual, falta de liderazgo, lo que sea... ¡hay esperanza! Algo que te puedo garantizar es que la esperanza no muere hasta que tú lo decidas, y estoy cien por cierto convencida de que sí es posible comprometerse y restaurar tu relación. La pregunta es si tú estás dispuesto o dispuesta a colaborar, a poner todo de tu parte y abrir tu corazón para que este proceso comience.

Desde niña tuve curiosidad por la dinámica comprendida en las relaciones amorosas, quizás porque no tuve el mejor modelo a seguir. Siendo mujer en un país del tercer mundo, crecí viendo cómo se le hacía tan difícil a las mujeres tener voz en cualquier ámbito donde los hombres llevaran las riendas del asunto. Aun así, tuve el privilegio de relacionarme con grandes mujeres que desafiaron ese patrón corrupto y se convirtieron en inspiración para mí. Durante ese proceso conocí a mi amado Jorge, mi esposo durante veintiocho años, quien siente igual pasión por fortalecer y desafiar a los matrimonios. Entendiendo que la mujer es una parte integral de la relación matrimonial y que, en nuestro caso particular, podemos ser más efectivos ayudándolas en ese contexto específico, hemos decidido dedicar nuestra energía y pasión a trabajar con los matrimonios, ayudándolos a alcanzar un nivel de salud satisfactorio. Para esto, entender los roles de cada cual de antemano es un muy buen comienzo.

La educación y el conocimiento nos dan poder, pero también nos hacen responsables por lo que decidimos hacer y lo que decidimos ignorar. Durante décadas he visto al machismo y la ignorancia en acción, tratando de mantener a la mujer callada y marginada a un segundo plano. He visto a muchos grandes maestros utilizar el contexto cultural dentro de un marco histórico para apoyar un punto en particular, pero al mismo tiempo ignorar esos mismos principios en otras circunstancias donde no parece convenirles. Y aunque no es mi intención tener aquí un debate sobre el lugar de la mujer dentro de la iglesia o la sociedad, sí quiero establecer algunas bases importantes dentro del contexto del matrimonio, ya que esto hará más fácil entender su rol como parte integrante de la unión conyugal.

Hablemos de lo básico. Dios creó a los seres humanos a su propia imagen; hombre y mujer los creó. Él le asignó trabajos específicos al hombre y no es mi intención discutir eso en este libro. Sin embargo, cuando Dios creó a la mujer, lo hizo como solución a la soledad del hombre, no como un objeto para admirar y utilizar (aunque sea merecedora de tal admiración). No obstante, la soledad no desaparece solo con la presencia de alguien, así que fue creada inteligente, sabia, sagaz, con palabras que impactan a su hombre y reacciones que lo invitan a convivir. Una de sus funciones es ser una amante adecuada. Así es, la mujer tiene la capacidad de ser apasionada y responder físicamente en grandes proporciones a un hombre que sabe respetarla y valorarla. Si todos los hombres entendieran el gran poder de influencia que poseen sobre sus esposas, dejarían de comportarse como adolescentes hormonales y usarían su intelecto y afecto para seducirlas hacia un nuevo terreno.

¡Dios miró luego todo lo que había hecho y vio que era muy bueno! Y entre las cosas que vio estaba el sexo. ¿Para qué es el sexo bueno?

El sexo es bueno para propagar la raza humana.

"Luego Dios los bendijo con las siguientes palabras: "Sean fructíferos y multiplíquense"."

—Génesis 1:28 (NTV)

Parte de la bendición que Dios impartió sobre el matrimonio fue la multiplicación. Eso es un regalo. Es una señal de bienestar. La forma natural en la que podemos concebir hijos naturales es través del acto sexual. El sexo es bueno para procrear y satisfacer esa área de nuestra vida. Al principio de la creación solo estaban Adán y Eva. Me parece chistoso que la bendición los instara a llenar la tierra. ¿Cuántos encuentros

Él quiere que seamos seres que disfrutan el privilegio de este regalo abundantemente.

sexuales debían tener para lograr este cometido? Estoy segura de que muchos hombres querrán tomar esta línea para persuadir a sus esposas de cumplir este mandato, pero qué bueno que el mundo ya está bien poblado y no necesitamos entender la ordenanza basados en ese pensamiento. ¡Uff! Aunque permítanme aclarar que el corazón de Dios continúa siendo el mismo. Él quiere que seamos seres que disfrutan el privilegio de este regalo abundantemente.

El sexo es bueno para crear pertenencia.

> *"El esposo debe satisfacer las necesidades*
> *sexuales de su esposa, y la esposa debe satis-*
> *facer las necesidades sexuales de su marido.*
> *La esposa le da la autoridad sobre su cuerpo*
> *a su marido, y el esposo le da la autoridad*
> *sobre su cuerpo a su esposa".*

—**1 Corintios 7:3-4 (NTV)**

La Escritura enseña que nos pertenecemos mutuamente. En el matrimonio, tu cuerpo es mi cuerpo y el mío es tuyo. Nadie posee el cuerpo de otra persona de esta manera y para siempre. Aun las madres deben dejar ir a sus hijos amados. Sin embargo, en el contexto del matrimonio nos es dada una autoridad, un título de pertenencia exclusiva, y voluntariamente aceptamos esta transacción de honor. Por otra parte, mientras podemos sentirnos persuadidos a pensar que esto es un asunto del cuerpo físico solamente, si pensamos un poco más profundo nos damos cuenta de que el ser humano no se reduce solo al cuerpo. Somos cuerpo, alma y espíritu.

Así que consecuentemente nos pertenecemos en cuerpo, alma y espíritu. ¡Qué hermoso saber que le pertenecemos a alguien de forma plena y la intimidad del acto sexual consuma esta unión de pertenencia en su totalidad!

El sexo es bueno para producir unión y comunión.

"Esto explica por qué el hombre deja a su padre y a su madre, y se une a su esposa, y los dos se convierten en uno solo".

—**Mateo 19:5 (NTV)**

Uno de los más grandes retos que enfrentan los matrimonios y las familias en el día de hoy es la desconexión en todos los sentidos: emocional, espiritual y física. No hay tiempo para nada. Siempre estamos ocupados y corriendo. Hemos permitido que la tecnología, en vez de hacer nuestras vidas más productivas y fáciles, nos robe la oportunidad de ser más libres y disfrutar los unos de los otros. Para Dios el matrimonio tiene una importancia tal, que nos dice que resulta necesario establecer ciertas distancias y límites incluso con personas tan venerables como nuestros padres. La Palabra habla de honrar a nuestro padre y nuestra madre, nos habla de recompensas por hacerlo. En 1 Timoteo 5:8 se nos exhorta a cuidar y proteger a los de nuestra propia casa. No obstante, aun siendo hijos de honra, debemos darle una preeminencia al matrimonio para crear esa unión única y exclusiva que es inherente a esta relación. Es necesario compenetrarnos de tal forma que seamos uno solo. El sexo produce esto en nosotros. Un matrimonio saludable disfruta de una sexualidad regular que satisface a ambos.

> *Es necesario compenetrarnos de tal forma que seamos uno solo. El sexo produce esto en nosotros. Un matrimonio saludable disfruta de una sexualidad regular que satisface a ambos.*

El sexo es bueno para proveer placer mutuo.

"Que tu esposa sea una fuente de bendición

> *para ti. Alégrate con la esposa de tu juven-*
> *tud. Es una cierva amorosa, una gacela*
> *llena de gracia. Que sus pechos te satisfagan*
> *siempre. Que siempre seas cautivado*
> *por su amor".*
>
> **—Proverbios 5:18-19 (NTV)**

¡Así es! El sexo no es solo una bendición con la intención de procrear. En el plan original de Dios siempre estuvo que la desnudez proveyera placer físico y emocional. Las hormonas forman parte de este sublime encuentro, produciendo sensaciones de apego y haciéndonos sentir bien. El cuerpo responde a los toques y caricias de nuestro cónyuge. ¡Tal acto debe producir placer! Si no está ocurriendo así, debemos revisar por qué.

Recuerdo cuando quise llorar con la primera paciente que compartió en uno de mis grupos de apoyo que nunca había experimentado un orgasmo. No hubiera sido tan impactante para mí si no se hubiera tratado de una mujer hermosa, la cual decidió esperar hasta su boda para entregarse físicamente. Treinta años después, durante una conversación en el grupo, se dio cuenta de que no había experimentado nada que ni siquiera se asemejara a esto.

Por otra parte, abrazar la santidad, la fidelidad y el compromiso resulta tan importante como abrazar a nuestros cuerpos físicos. Que encontremos placer en la carne en el único contexto apropiado, el matrimonio, es parte del plan de Dios para la pareja. Que podamos perdernos, conocernos y encontrarnos, todo a la misma vez. Que aprendamos a perder el control y recuperarlo.

> *Ama como si esta fuera tu última oportunidad de hacerlo. Como si tu vida dependiera de ello.*

Que seamos vulnerables y transparentes hasta lograr esa gran fusión, a veces eufórica, que muchos solo han soñado y piensan que es inalcanzable. ¡Atrévete a hacer tus sueños realidad! Ama como si esta fuera tu última oportunidad de hacerlo. Como si tu vida dependiera de ello.

SEXO PARA DOS

2

por Danisa

L a mayoría de las veces las personas enfrentan una primera experiencia sexual sin ninguna preparación. Algunos provienen de un entorno rural con sus costumbres, en el cual sus primeras exploraciones quizás no fueron ni siquiera con personas. Otros fueron llevados a cierta edad a convertirse en hombres a lugares donde unos pesos se encargaban de proveer la experiencia. Algunas cuando niñas fueron acosadas o abusadas por miembros de su familia o amigos de la casa. Y es muy posible que otros que crecieron sin experimentar una de estas trágicas situaciones hayan vivido en hogares donde la negatividad y la religiosidad con respecto al sexo los hicieron formarse ideas apáticas, que no les permitieron llegar al matrimonio con un pensamiento adecuado. La anticipación y la alegría de casarse no pudieron contra la falta de educación al respecto y la religiosidad impuesta por años.

Observamos cómo aun sin darnos cuenta hemos sido influenciados por culturas que practican la clitorectomía (la extirpación quirúrgica del clítoris), ya que piensan que no es apropiado que la mujer experimente placer sexual. Y aunque en este lado del mundo no lo hacemos de una forma física, con demasiada frecuencia lo practicamos de forma psicológica. Queremos extirparle a la mujer su capacidad de ser sexual. Y como si esto fuera poco, la cirugía se lleva a cabo mientras la mujer es una niña y no tiene capacidad de decidir. Además, debido a que es una práctica ilegal, la mayoría de las veces se realiza sin ningún tipo de anestesia. De la misma forma, el marco histórico de nuestras culturas religiosas ha estigmatizado la sexualidad femenina, empujándola a las opciones extremas de someterse como un objeto, o en cambio revelarse y ser el molde hipersexual que vemos a diario explotando sus cuerpos con cirugías y exhibiéndose, como si hacerlo voluntariamente les trajera algún valor. Fuimos creados con una naturaleza sexual. Fue idea de Dios que nos multiplicáramos y llenáramos la tierra. Llenar la tierra resultaba una encomienda grande, y para poder concebir tantos hijos era indispensable que hubiera una intimidad frecuente y satisfactoria, de modo que ambos la anhelaran y continuaran reproduciéndose. Para la mujer latina cristiana es muy difícil encontrar su identidad fuera de su Padre. Las voces de la sociedad son muy conflictivas y aún acarrean un mensaje de abuso o libertinaje. Cuando una mujer descubre que fue creada como corona hermosa con una capacidad incalculable en su cerebro, su corazón y su cuerpo; que Jesús mismo modeló cómo debe ser tratada, respetada y escuchada;

Las voces de la sociedad son muy conflictivas y aún acarrean un mensaje de abuso o libertinaje.

que fue creada a imagen y semejanza de Dios, igual que el hombre... entonces su lucha cambia. Ya no tiene nada que probar ni necesita pelear por un puesto que no le corresponde (el del hombre), sino que sabe que hay un lugar que fue diseñado exclusivamente para ella y que nadie más podrá jamás llenarlo.

Detengámonos un momento a pensar en lo mal preparados que llegamos a esta primera experiencia íntima. Ni siquiera hemos mencionado antes en este libro a la gran mayoría que experimenta una descarga de emociones e impulsos y siguen simplemente esa pasión desenfrenada, llegando así a su primera experiencia sexual. Tristemente, estos índices son más altos en Latinoamérica de lo que desearíamos admitir. En fin, una gran mayoría llega a formalizar una relación cargando con un trauma que nunca fue resuelto. O con una impresión bastante confusa de lo que debió ser algo especial y hermoso, pero no lo fue. Se han inculcado tantas mentiras en las mentes de hombres y mujeres buenos, que no debemos darnos por vencidos, sino por el contrario, necesitamos insistir con un plan de ataque en contra de la maldad y la ignorancia.

Susana y Alberto

Consideremos el caso de Susana y Alberto. Ellos llevan tres meses de casados y ya enfrentan problemas sexuales. Susana no quiere estar con su esposo porque él fue abrupto y no pudo manejar el primer encuentro en su noche de bodas de una forma que llenara las expectativas que ella tenía. No se mostró romántico. Todo fue casi instantáneo. Resultó un poco doloroso. Lo peor del caso es que las cosas continuaron de la misma manera por semanas. Y con el avance de los días, la frustración de esta joven esposa continuó creciendo. A sus escasos veintiún años ella no quiere una vida matrimonial como la de su madre y su abuela.

Otras parejas, con diferentes tipos de dilemas, muchas veces no han tenido quien los instruya y también llegan a experimentar la sexualidad con filtros distorsionados y desinformados. ¿Cómo es posible que en el día de hoy todavía se enseñe que el sexo es perverso, sucio, carnal y no espiritual? ¿O que es algo exclusivo para el disfrute del hombre? ¿Cuántas parejas recién casadas llegan a nuestro consultorio con problemas sexuales, solo porque no logran comprender cómo algo tan horrible puede ser aceptable de la noche a la mañana? ¿O cómo es posible que un Dios tan amoroso de repente sea tan machista y le conceda todo el placer solo a uno de los dos?

Muchas parejas que se aman pueden vivir años teniendo relaciones sexuales mediocres. Esto escapa a mi entendimiento. ¿Cómo puede haber mujeres experimentando dolor cada vez que están con sus esposos y que ese hecho no constituya una prioridad que necesita ser investigada y resuelta? ¡Me apasiona ser una evangelista sexual! Sí, leíste bien, una evangelista sexual, trayendo la verdad del evangelio a un regalo hermoso que Dios les dio a sus hijos y que debemos retomar de la forma divina en que fue dado.

Nuestro reto es derribar todo argumento activo o pasivo que haya sido parte de nuestra historia y establecer nuevos patrones de pensamiento y conducta (frutos) que se correspondan con lo que dice el manual original, la Biblia. Para esto, algunos van a necesitar la ayuda profesional de un psicólogo o consejero cristiano que pueda trabajar con los traumas, abusos y disfunciones.

Yo siempre recomiendo comenzar por lo que está más al alcance, nuestros líderes espirituales. Si tu proceso solo requiere sanidad interior o una persona que camine contigo durante este tiempo y te sirva de mentor, entonces llegarás al lugar adecuado con el menor esfuerzo de búsqueda. Es mi oración que los pastores y las personas en posiciones de influencia aprendan a referir a aquellos que tienen bajo su cuidado a un terapeuta profesional cuando los problemas están fuera de su área de experiencia. Esto no denota incapacidad, sino sabiduría.

Todos, y cuando digo todos me refiero a cada persona que va a tomar la decisión de casarse, debemos pasar por un proceso de preparación. Hay libros como *Sexo 101*, cuyos autores son mis amados maestros Cliff y Joyce Penner, que se dedican precisa y enteramente a preparar a una pareja para que pueda manejar esta nueva etapa en sus vidas de una forma más exitosa. El libro *Una celebración de sexo* del Dr. Doug Rosenau, otro autor muy influyente en mi carrera y que fuera mi supervisor en mi postgrado de Terapia Sexual, nos lleva por cada paso que debemos considerar cuando estamos a punto de entrar en el importante compromiso del matrimonio. Aun los que ya han establecido este pacto hermoso tienen la oportunidad de revisar esta literatura y corregir, ajustar y comenzar a construir o reconstruir un cimiento más sólido y duradero.

¿Cuáles son nuestras expectativas? Esta es una pregunta para considerar con mucha seriedad. Aquí se incluyen nuestros valores y lo que entendemos es el propósito de Dios para nuestras vidas. ¿Qué sueños compartimos? ¿Cómo manejar las finanzas? ¿Cuántos hijos queremos y cómo vamos a criarlos? ¿Qué métodos anticonceptivos usaremos si vamos a esperar? ¿Cómo será nuestra noche de bodas? ¿Qué esperamos de ese anticipado encuentro? ¿Con qué frecuencia pensamos que querremos estar juntos de esta manera? Son muchas las cosas importantes que están envueltas. ¿Tienes tú la respuesta a estas preguntas? Y no importa si ya estás casado o casada ni cuánto tiempo llevas de matrimonio, a veces hay necesidad de revisar nuestras metas y reevaluar la dirección en la que vamos.

Cuando hablamos de un pacto matrimonial nos referimos a algo para toda la vida. ¿Acaso no vemos la importancia de hacer esta decisión con la grandeza que tiene? Estudiamos un promedio de dos a ocho años para dedicarnos a una profesión. ¿Cuánto tiempo le hemos dedicado a aprender a ser un esposo o una esposa adecuados? En muchas profesiones, como la mía, es necesario tomar clases y entrenamientos constantemente para mantener una licencia estatal. ¿Cuántas clases has tomado en el último año para mantener tu matrimonio saludable?

La relación espiritual debe representar el primer y más alto nivel de intimidad. Los esposos se conocen mejor mientras los dos se vuelven con sinceridad a Dios. Pueden aumentar su intimidad espiritual mientras oran juntos, adoran juntos a Dios o sencillamente analizan enseñanzas y conceptos espirituales. La buena relación espiritual disminuye los conflictos matrimoniales y activa el ambiente para una buena relación afectiva.

La intimidad sexual conlleva a compartir sentimientos y emociones dentro de la libertad del amor que una pareja se ha comprometido a dar. Ellos están interesados mutuamente en la felicidad y el bienestar del otro.

La Escritura declara: "El marido cumpla con la mujer el deber conyugal, y asimismo la mujer con el marido. La mujer no tiene potestad sobre su propio cuerpo, sino el marido; ni tampoco tiene el marido potestad sobre su propio cuerpo, sino la mujer. No os neguéis el uno al otro, a no ser por algún tiempo de mutuo consentimiento, para ocuparos sosegadamente en la oración; y volved a juntaros en uno, para que no os tiente Satanás a causa de la falta de dominio propio" (1 Corintios 7:3-5, RVR-60).

Lo que Dios está estableciendo es una norma para que la pareja entienda que su misión es complacerse el uno al otro, siendo la prioridad del marido atender y complacer a su esposa y la de la mujer atender y complacer al esposo.

Lo que Dios está estableciendo es una norma para que la pareja entienda que su misión es complacerse el uno al otro, siendo la prioridad del marido atender y complacer a su esposa y la de la mujer atender y complacer al esposo. Ahora bien, esto no se refiere a una "obligación" o "imposición" como tal, sino más bien a un estado de gozo al complacerse mutuamente. Por lo tanto, la actitud no debe ser la de "lo tengo que hacer, aunque no quiera", sino más bien la de "anhelo hacerlo para obedecer a Dios y agradar a mi cónyuge". Además, esto evita las tentaciones que hacen caer en el adulterio.

El sexo es bueno.

El sexo es bueno. El sexo puede ser una realidad muy buena de abrazar y sumamente apasionante. No tiene por qué ser un punto de desacuerdo y discordia en el matrimonio. ¿De dónde vienen tus ideas sobre el sexo? ¿Acaso de un matrimonio disfuncional en el que creciste? ¿O del matrimonio frío y desconectado de algún líder o mentor? O peor aún, ¿acaso de una película de Hollywood o una telenovela hecha en Latinoamérica? No sé qué me entristece más, si la falta de modelos saludables o la abundancia de tontería que consideramos como patrones, incluso sin darnos cuenta.

Creo importante detenernos aquí un momento y recordar que la iglesia está llena de seres humanos imperfectos. Así que encontraremos en ella personas que como tú y yo andan en un caminar buscando obedecer a Dios y sus mandatos, pero que aún no han aprendido todo. Las Escrituras nos exhortan: "Examinadlo todo, retened lo bueno" (1 Tesalonicenses 5:21, RVR-60). Así que miremos a nuestros hermanos y aprendamos las cosas buenas de ellos. ¡Y las que no son tan buenas, rechacémoslas!

Si tu mentor profesional te ha enseñado maravillas sobre presupuestos, cómo manejar y hacer crecer el dinero, a mostrar integridad al reflejar proyecciones, y te das cuenta una y otra vez de que este hombre es muy dotado en lo que respecta a estas capacidades, no te apartes de él. Sin embargo, si ves que su esposa nunca es parte de nada, que rara vez la menciona, que su horario de trabajo parece ser exagerado y aun desde la casa se comunica contigo sobre negocios, rechaza esas prácticas. Dios nunca ha puesto los negocios por encima de tu matrimonio. Y aunque existan tiempos (por períodos cortos) en los que tengamos que hacer sacrificios, este no es el patrón que Él quiere establecer.

A los que son amantes de la iglesia de Dios y aman servirla y dedicarle tiempo, les digo que entendemos que toda persona agradecida con el Señor por su amor desinteresado y transformador sentirá una profunda gratitud y querrá manifestarla haciendo lo que sea para traer gloria a su nombre y que otros tengan experiencias similares. Esto es algo hermoso y sería increíble verlo en toda persona que ha recibido salvación y vida eterna. No obstante, este fuego de gratitud también tiene que ser filtrado por una voluntad mayor que la nuestra, la de Dios. Nuestra gratitud en forma de servicio nunca puede reemplazar el tiempo con nuestra familia. ¿Conoces a grande hombres y mujeres de Dios que admiras y son los que abren y cierran las puertas de la iglesia? Ellos están presentes en cada reunión, participan en todo, responden llamadas en su día de descanso y hacen un sinfín de cosas. Es posible que sus parejas sean o no parte de este servicio y entrega. Sin embargo, aunque resulta admirable ver lo apasionados que podemos ser por la casa de Dios y su cuidado, un matrimonio fuera de balance es una bomba de tiempo esperando a explotar. La intimidad que Dios desea que experimentemos requiere tiempo y exclusividad. Yo amo la casa de Dios y le he dedicado más de tres décadas de mi vida, mi tiempo, mi dinero y mis dones. Y lo haré hasta que muera, pero nunca al costo de mi matrimonio. Tenemos muchos amigos pastores, gente bella que ama a Dios y su pueblo, por los cuales sentimos gran admiración y respeto. Muchos de ellos admitirían que siempre andamos retándolos a no perder de vista a sus cónyuges, a tener ese tiempo especial con su pareja estructurado si fuera necesario, y lo hacen. No obstante, tristemente también hay algunos que tiene su mirada en otras cosas que para ellos son más importantes y dirigen sus iglesias como si fueran empresas, utilizando fórmulas y ecuaciones humanas que ignoran los principios de la estructura familiar establecida por Dios.

> *Yo amo la casa de Dios y le he dedicado más de tres décadas de mi vida, mi tiempo, mi dinero y mis dones. Y lo haré hasta que muera, pero nunca al costo de mi matrimonio.*

Mucho cuidado con las iglesias y los pastores dados a la esclavitud y los sentimientos de culpa, los cuales esperan que estés envuelto en algo cada día de la semana y si no es de esa manera no perteneces a cierto círculo. ¡Huye de estos lugares! Mira con atención la relación de estos pastores y líderes, decidiendo si vale la pena emularlos.

¿Y que me dices de la pareja perfecta? ¿De aquellos que se toman fotos juntos, pero llevan siete años sin tener sexo? Se llaman "cariño" y "mi amor" frente a la gente, pero si no es por un GPS en su teléfono ella no sabe por dónde anda él. Son los que tienen sus finanzas separadas, viajan por separado, hacen vida separada con sus amigos y se han resignado a esto. No hay hijos, no hay afecto privado ni íntimo. No tienen una vida espiritual juntos, y nunca se habla de los retos emocionales que los han llevado a esa vida de apariencias que no existe a puertas cerradas. Mucho cuidado con esos que con comentarios sutiles quieren hacer ver a los matrimonios saludables como relaciones codependientes o falsas. No permitas que la vida de competencia que llevan tales personas afecte la base de confianza y honestidad que quieres edificar.

¿Y qué tal el tío rico (que no es hermano de mamá ni de papá, pero es tío) que cada semana disfruta de una aventura exótica con su esposa? Ella tiene una figura perfecta y el precio para lograrlo resulta insignificante, porque lucir sexy es una prioridad. Todo lo que usa es de Valentino, Chanel, Gucci y grandes diseñadores. Pareciera que es necesario tener todo a la perfección para que se pueda dar un buen momento de conexión espiritual. Su vida parece sacada de una película de Hollywood. Todo es hermoso y a la vista funciona perfectamente. Hasta pareciera despertar ya maquillada y sin mal aliento. O como una de las protagonistas de nuestras novelas, en tacones y vestidas a la última moda. Créanme, los que me conocen saben que amo la moda y la vida cómoda, pero no me refiero a eso. Arreglarnos, operarnos y usar cosas buenas no es un problema, a menos que andemos buscando nuestra identidad en ello. El problema es tener un matrimonio que descanse en bases tan frágiles como lo son las cosas materiales y la apariencia externa; el físico y las posesiones. En el momento en que no tengamos dinero, ropa cara, joyas, una cintura estrecha, un rostro sin arrugas y cosas como esas, ¿qué pasa? ¿Qué nos queda?

Es muy posible que los patrones que viste mientras crecías o que te están influenciando hoy no sean idénticos a estos casos, pero sí tengan ciertos rasgos parecidos. Cualquiera que haya sido o sea tu experiencia debes tomar una decisión ahora mismo. ¿Recuerdas cuando dijimos que con el conocimiento viene la responsabilidad de cambiar? Decídete a hacerlo hoy.

3
EL COLOR DEL SEXO

por Danisa

Qué es el sexo sin amor? Es como un arco iris en blanco y negro, no tiene sentido. No posee belleza. No fue creado de esa forma. Para que pueda funcionar efectivamente, el sexo tiene que existir en una atmósfera de amor donde se nutre y se alimenta cada día con los elementos adecuados. El amor es el compromiso que hacemos de estar con esa persona con la que hemos pactado pasar el resto de nuestros días. El amor es ese lazo fuerte y consciente que nos hace decidir luchar, dar, cuidar, cambiar y vivir sin la condición de que la pareja también tenga que hacerlo. ¡Él es el elemento principal en una Sexualidad al Dente®![1]

En los diferentes capítulos de este libro encontrarás varias versiones de 1 Corintios 13. Este pasaje refleja de una forma única el corazón de Dios con respecto a cómo debemos vivir nuestra vida y qué cosas reflejan su amor en nosotros. Así que cuando se trata del matrimonio, queremos que esté basado en los principios sólidos de la verdad y no que descanse solo en perspectivas o interpretaciones humanas. He aquí lo que declara la Escritura:

> *Si no tengo amor, soy como un pedazo de metal ruidoso; ¡soy como una campana desafinada! [...] El que ama tiene paciencia en todo, y siempre es amable. El que ama no es envidioso, ni se cree más que nadie. No es orgulloso. No es grosero ni egoísta. No se enoja por cualquier cosa. No se pasa la vida recordando lo malo que otros le han hecho. No aplaude a los malvados, sino a los que hablan con la verdad. El que ama es*

capaz de aguantarlo todo, de creerlo todo, de esperarlo todo, de soportarlo todo. Sólo el amor vive para siempre.

—1 Corintios 13:1-8 (TLA)

Una experiencia sexual sin este tipo de amor es una experiencia en blanco y negro; resulta limitada y externa. Las cosas se dan siempre dentro del molde del egoísmo y la carne. El esposo que se relaciona en blanco y negro es brusco, tosco, pesado, hace de su esposa un objeto y no la cuida. Este hombre no sabe satisfacer a su esposa y no la protege del mal.

Un hombre distraído por las ganancias de este mundo, la fama, el dinero y el poder se pierde la gran oportunidad de darle valor a su esposa dedicándole su tiempo, atención y cuidado. Está enfocado en ser un proveedor de cosas materiales y no se da cuenta de que el lugar de sacerdocio que le fue entregado está vacío, con el potencial de que cualquier cosa que no sea él lo ocupe.

El esposo que ama con ausencia de colores en su corazón tiene una mirada superficial y es incapaz de apreciar todo lo hermoso y profundo que esconde el corazón de su esposa, lo cual espera a ser descubierto únicamente por él. ¡Solo Dios puede despertarte y hacerte ver la vida a través del calidoscopio de su amor! Cuando logras ver a través de este filtro divino, entiendes tu propósito junto a la mujer que te ha sido confiada. Puedes sentirte orgulloso de velar por ella en cada aspecto de su vida y tu trato hacia tu esposa la hace encontrar esa femineidad que solo tú puedes afirmar. Descubres el valor que eres capaz de añadirle solo con tus palabras. Se trata de una magia que únicamente puede ser definida en términos espirituales y eternos.

> *Una experiencia sexual sin este tipo de amor es una experiencia en blanco y negro; resulta limitada y externa.*

La mujer que ama en blanco y negro es fría, estéril, poco apasionada y manipuladora. Juega con los sentimientos y deseos de su marido y lo castiga negándose a sí misma. Es una mujer con falta de sabiduría, que no sabe bendecir a su esposo.

Esta mujer actúa de forma calculadora y siempre recuerda las faltas y carencias, siendo incapaz de poner en una balanza justa el progreso y el crecimiento del hombre que tiene a su lado, y mucho menos de reconocer la influencia negativa que ella ejerce sobre él. Cuando lo mira, sus pensamientos son de queja e ingratitud, y continúa hundiéndose en un pozo negro sin fondo del que no puede salir por sí sola. Su percepción es egoísta, acusadora, y muestra una actitud de venganza por las nuevas faltas que sigue creando debido a su visión tan limitada. Es insaciable, dura, y puede aplastar a ese hombre que tiene cerca y le ha abierto su corazón.

En cambio, la mujer que ama sin venda en sus ojos anticipa darse por completo a su esposo. No puede esperar por esos momentos en los que es capaz de entregar todo lo que ella es sin ningún tipo de reservas ni tapujos. Es creativa, muy sagaz, y sabe hacer sentir completo a ese hombre con el que vive. Esta mujer no solo anticipa las oportunidades para bendecir a su esposo, sino que las provoca. Se entrega una y otra vez, y encuentra satisfacción al hacerlo.

La sexualidad a todo color vincula emocional y espiritualmente primero. Nos conecta con el Padre y al uno con el otro. Ama a la otra persona por dentro y se refleja por fuera. Ama su alma, sus sueños, su espiritualidad, su forma de ser. Aprecia lo que es, lo que hace. Valora sus esfuerzos. Le importa lo que siente y se interesa en saber por qué. En este tipo de relación existe respeto y compromiso, una lealtad que no se cuestiona y una entrega que no conoce límites.

> *La sexualidad a todo color vincula emocional y espiritualmente primero. Nos conecta con el Padre y al uno con el otro.*

La sexualidad a todo color es ardiente, viva y se refleja de forma intencional en querer el bien de nuestro cónyuge y en desear verlo realizarse como individuo, sin ser sofocado por nosotros. Es una entrega en libertad que provoca profundidad y salud en todos los que participan. ¿Sexo? ¿A quién no le gusta eso? ¿A quien no le agradaría vivir toda esa gran gama de colores que lo llevan a otra dimensión? ¡Yo deseo no solo para mí, sino también para todos aquellos que sueño alcanzar con este libro, que vivan en una dimensión sexual que provoque desarrollo, crecimiento, prosperidad, expansión y plenitud! A todos nos gusta el sexo con tal propósito y definición, con una repercusión eterna. ¡Seamos pues los iniciadores de esta práctica tan sublime, santa y plena!

Fórmula para la intimidad[2]

No todos tenemos la misma personalidad ni la misma forma de comunicarnos. Aunque hay ciertas cosas básicas que deberían ser comùnes a todos, al casarnos nos comprometemos a conocer a nuestra pareja como nadie, a tratar de buscar el lenguaje que facilita que la amemos y que sepa que lo estamos haciendo. Existen libros muy conocidos, como *Los cinco lenguajes del amor* de Gary Chapman y otros similares, donde nos tratan de ayudar a descubrir cuáles son nuestras tendencias y cuáles son las tendencias de nuestro cónyuge.

Independientemente de que mi lenguaje no sea el toque físico, mi pareja necesita de este para sobrevivir de forma saludable. Por lo tanto, aun si requiere un esfuerzo de mi parte, debo hacer todo lo posible para satisfacer ese aspecto de nuestra relación.

Se aconseja dedicar un tiempo para realizar las siguientes actividades a fin de conectarse en las diferentes áreas:

Quince minutos al día

1. Mirarse a los ojos; provocar la oxitocina con caricias simples (la hormona que conecta a través del toque); compartir un pensamiento, sentimiento o afirmarse el uno al otro mientras se toman de las manos o se abrazan.

2. Conectarse espiritualmente compartiendo una porción de la Escritura, haciendo una oración, o teniendo un momento de silencio en la presencia de Dios.

3. Conectarse físicamente al abrazarse por veinte segundos (eleva la oxitocina) y besarse apasionadamente de cinco a treinta segundos sin que conlleve al sexo (aumenta la dopamina, la hormona de la pasión).

Una vez a la semana

1. Caminar juntos. Este tiempo provoca no solo bienestar físico, sino que también nos facilita conversar de cosas importantes como nuestros sueños, planes, los hijos y las preocupaciones. Es una oportunidad de abrir nuestros corazones, escuchar y ser escuchados, así como de ponernos al día.

2. Tener una cita romántica. Esta cita puede realizarse de mil formas. Tal vez sea bueno alternarse tomando turnos para planearla. Pueden (cada uno por separado) hacer tres listas: citas que no cuestan nada, citas que cuestan cierta cantidad adecuada al presupuesto (debe acordar con su pareja cuál es una cifra apropiada) y citas especiales. Las citas especiales están destinadas a celebrar cumpleaños, aniversarios, dar una sorpresa, y conllevan más preparación. A veces es necesario ahorrar por un tiempo para poder llevar a tu esposa a ese viaje a Paris, o para que tu esposo pueda disfrutar de un viaje en avión en primera clase.

3. Bañarse juntos, acariciarse sin demandas. Regalarse un buen masaje de pies o de cuello con aceites naturales. Disfrutar el dar y recibir del toque físico que no busca sexualidad, pero sí conexión.

Una vez cada estación

1. ¡Diversión! ¿Cuáles son esas cosas que solíamos disfrutar o que hemos soñado con hacer? Un día afuera en el agua, con los caballos en las montañas, o quizás en el aire. Un deporte extremo.

2. Un día de spa para los dos.

3. Un día de retiro espiritual.

4. Un día de tiendas donde nos ayudamos el uno al otro a mantenernos vigentes y con piezas de vestir que nos agraden a los dos.

5. Ser turistas en tu propia ciudad.

6. Tomar el tren a la ciudad más cercana y explorar nuevos lugares.

Un fin de semana o dos al año

A las parejas con trabajos bien demandantes, empresarios, pastores y líderes con muchas responsabilidades les recomendamos tomar más tiempo. En nuestro caso personal, apartamos varios fines de semana al año y también una que otra semana completa.

Permanecemos juntos, solos y preferiblemente fuera de casa. Sin distracciones, hijos, otras parejas ni tecnología. Todo el enfoque del uno para el otro sin rutinas diarias.

ENEMIGOS DEL SEXO

por Danisa

E n este capítulo incluyo una lista de algunos de los enemigos más comunes del sexo según la Escritura. No añado ningún comentario, ya que considero que se explican por sí mismos.

Descuido espiritual

> *"Por lo tanto, desháganse de toda mala conducta. Acaben con todo engaño, hipocresía, celos y toda clase de comentarios hirientes.*

*Como bebés recién nacidos, deseen con ganas
la leche espiritual pura para que crezcan
a una experiencia plena de la salvación.
Pidan a gritos ese alimento nutritivo ahora
que han probado la bondad del Señor".*

—1 Pedro 2:1-3 (NTV)

Negarse a la intimidad

*"No se priven el uno al otro de tener rela-
ciones sexuales, a menos que los dos estén de
acuerdo en abstenerse de la intimidad sexual por un tiempo limitado para entregarse
más de lleno a la oración. Después deberán
volverse a juntar, a fin de que Satanás no
pueda tentarlos por la falta
de control propio".*

—1 Corintios 7:5 (NTV)

Raíces de amargura

"Cuídense unos a otros, para que ninguno de ustedes deje de recibir la gracia de Dios. Tengan cuidado de que no brote ninguna raíz venenosa de amargura, la cual los trastorne a ustedes y envenene a muchos".

—Hebreos 12:15 (NTV)

Pensamientos impuros

"Pero yo digo que el que mira con pasión sexual a una mujer ya ha cometido adulterio con ella en el corazón".

—Mateo 5:28 (NTV)

Prácticas dañinas

"No quieren entrar en razón, no cumplen lo que prometen, son crueles y no tienen compasión. Saben bien que la justicia de Dios

exige que los que hacen esas cosas merecen morir; pero ellos igual las hacen. Peor aún, incitan a otros a que también las hagan".

—Romanos 1:31-32 (NTV)

Adulterio

"El que comete adulterio no tiene entendimiento; destruye su alma el que lo hace. Heridas y vergüenza hallará, y su afrenta no se borrará. Porque los celos enfurecen al hombre, y no perdonará en el día de la venganza".

—Proverbios 6:32-34 (LBLA)

Adicciones sexuales

"¡Ya casi llega el momento! Así que dejemos de pecar, porque pecar es como vivir en la oscuridad. Hagamos el bien, que es como

vivir en la luz. Controlemos nuestros deseos de hacer lo malo, y comportémonos correctamente, como si todo el tiempo anduviéramos a plena luz del día. No vayamos a fiestas donde haya desórdenes, ni nos emborrachemos, ni seamos vulgares, ni tengamos ninguna clase de vicios. No busquemos pelea ni seamos celosos. Más bien, dejemos que Jesucristo nos proteja".

—Romanos 13:12-14 (TLA)

Aparte de estos enemigos, quiero mencionar cuatro cosas que pudieran convertirse en enemigos potenciales. Esta es una alerta a fin de entender qué clase de influencia ejercen sobre nuestras relaciones.

La familia

Lo que vimos en nuestro hogar cuando estábamos creciendo ha afectado la forma en que vemos la vida. Aun las cosas que no vimos directamente la afectan, desde lo que nos decía mamá hasta la manera en que la trataba papá. Estos modelos de conducta están arraigados en nuestra memoria y provocan respuestas en nosotros de modo automático. Cuando no hemos vivido experiencias positivas, entonces debemos descifrar cuál ha sido la enseñanza negativa, cómo nos está afectando, y cómo vamos a procesar el asunto para hacer cambios. Aunque la influencia haya sido fuerte, puede ser confrontada y modificada. La única verdad que resulta absoluta e incambiable es la Palabra de Dios, y con ella podemos desmantelar cualquier otra enseñanza con la que crecimos. El hecho de que hayamos vivido una realidad no la convierte en la verdad. Si hubo dolor, desengaño, trauma o abandono, no podemos negar que ese fue nuestro entorno y las cosas que vivimos. Sin embargo, podemos optar por vivir de manera diferente de ahora en adelante, teniendo una vida que refleje la verdad de Dios en lo que respecta al matrimonio y la familia. Cuando niños éramos indefensos, pero ya de adultos no tenemos que resignarnos a ser víctimas. Podemos ser personas que entienden la dificultad de un pasado, pero que han sido empoderadas para vivir un futuro diferente bajo nuevos principios y en libertad.

La cultura

Lo que vimos en nuestros países, sus programas de televisión, nuestras escuelas, las familias de los amigos, todo esto nos afecta. La realidad es que cuando creces percibiendo cosas en la sociedad que son aceptables y parecen muy rutinarias y normales, comienzas a sentirte cómodo con ellas y no las cuestionas. A veces dudas un poco, pero de nuevo vuelves a recordar que así es como se hace o se piensa en tu país o el entorno en que creciste. No obstante, es bueno que tengamos en mente que cuando venimos a Cristo nos convertimos en ciudadanos eternos y ya no respondemos a ninguna enseñanza errónea de nuestros países y culturas. Ahora tenemos otro modo de pensar. Nuestro sistema de valores cambia, y con este nuestra forma de vida. El libertinaje, el machismo, la idolatría, la corrupción, la falta de respeto y honestidad, así como cualquiera de esas cosas que posiblemente fueran parte del entorno que experimentamos, tienen que ser erradicadas de nuestra vida y nuestro matrimonio, y nuevos frutos de amor y pureza deben florecer. Un compromiso de obediencia a nuestro nuevo Señor, Jesús, tiene que ser evidenciado en el carácter a través de nuestro comportamiento y prioridades.

La religión

Los que crecimos en la religión tradicional de nuestros países, o bajo la influencia de la iglesia evangélica, hemos sido formados en base a muchas de sus creencias y prácticas. Como estamos hablando de religión, se supone que todo sea bueno y espiritual, así que no pensamos mucho en si hay ajustes que hacer en esta área. ¡Pero vaya que los hay! Solo de recordar cómo crecí en la religión tradicional me da vueltas la cabeza. ¡Tantas reglas y ritualismos con relación al matrimonio y al sexo! Sin embargo, nunca entendí por qué María era tan especial, escogida por Dios mismo, pero el resto de las mujeres no lo éramos. Como si al recibir a Jesús eso no nos hiciera a todas igualmente especiales y puras. La distorsión con relación a nuestro lugar como mujeres delante de Dios y en nuestros propios hogares es un problema de larga data.

Luego, al nacer de nuevo y llegar a la iglesia evangélica, la cosa no mejora en lo más mínimo. No solo existen las mismas reglas machistas, el mismo silencio en cuanto a la sexualidad en el matrimonio, sino también hay un mensaje muy claro de que el sexo es dominado por los hombres y las mujeres se deben a sus maridos. Tal pareciera que la Escritura solo mencionara que el cuerpo de la esposa le pertenece al marido. No quiero que malentiendan mi sentir en cuanto a este tema. Soy una mujer sometida a mi esposo, con gusto, en obediencia. Amo sentir su sacerdocio y aprobación sobre mi vida. Entiendo que la Palabra habla de que el cuerpo de la mujer no le pertenece a ella, sino al marido. ¿Pero dónde dejamos la otra parte del verso? ¡El cuerpo del esposo también le pertenece a la esposa, y de forma exclusiva! Existe una tendencia a minimizar la parte de que el cuerpo del esposo le pertenece a la esposa y solo a ella. Es casi como si el adulterio fuera mal visto cuando la mujer lo comete, pero resulta mucho más leve si el marido es quien engaña a su esposa.

Tu pareja

¿Qué piensa el esposo? ¿Cómo se conduce? ¿Cómo trata a su mujer? ¿Hacia donde la guía? ¿Qué tal la esposa? ¿Ella misma se margina, se resigna, acepta el rechazo o ser tratada como un objeto? ¿Es dominante? Esta es una conversación que resulta necesaria. Hay muchos hombres y mujeres buenos, que aman a Dios y a sus cónyuges, pero no saben cómo tratarse, atenderse, conectarse y tener intimidad. No es suficiente con saber que algo no está bien. Es necesario querer actuar al respecto para cambiarlo. La actitud humilde de reconocer que los dos somos responsables por la mejoría de la relación resulta indispensable para el progreso de la misma. A veces necesitamos mucho más que la ayuda de un libro. Hay ocasiones en que el apoyo de un consejero matrimonial puede ayudar a neutralizar nuestros puntos de vista y contribuir a una mejor comunicación entre los dos. En otras circunstancias es necesario buscar a un terapeuta profesional para que pueda ayudar en la relación. No tengas miedo de buscar ayuda, solo asegúrate de hallar a la persona adecuada.

Buscar ayuda o tratar de solucionar las cosas que no van bien son señales de que somos importantes para nuestro cónyuge y una prioridad en su vida, al igual que él lo es para nosotros. Esto es una evidencia de que nos interesa que estemos bien y que nuestra relación prospere. Cuando hay conflictos es difícil conectarse emocional y espiritualmente, así que nuestra experiencia sexual será pobre y mediocre. Sin embargo, cuando un esposo y una esposa están luchando para cultivar actitudes y hábitos saludables, aun en medio de los retos pueden conectarse de la forma más íntima.

5 FASES PARA LA INTIMIDAD SEXUAL

(¡PARA RECIÉN CASADOS Y VETERANOS POR IGUAL!)

por Danisa

Por qué Dios creó la sexualidad? Estoy segura de que Él tenía muchas cosas en mente. Sin embargo, hay dos razones en particular que vienen a mi corazón y te las voy a comentar. Dios creó la sexualidad para revelarse a sí mismo y para que nos proveamos placer mutuo. Sí, lo hizo con el propósito de que lo conozcamos mejor y nos demos placer el uno al otro.

Consideremos la primera razón, conocerlo mejor. Dios es un ser trino. Nada sucede sin que el Hijo o el Espíritu

Santo sean parte de ello. Se trata de tres Personas en Una. Y de igual forma nos creó a nosotros como seres tridimensionales: con alma, cuerpo y espíritu. No hay nada que nuestro cuerpo pueda hacer aparte de nuestro espíritu o

Dios creó la sexualidad para revelarse a sí mismo y para que nos proveamos placer mutuo.

que excluya a nuestra alma. Y no creo necesario entrar a considerar a las personas que andan muertas de espíritu o tienen un alma enferma, pues eso sería tema de otro libro.

Lo que sí deseo enfatizar es que Dios quiso reflejar su imagen divina en cada aspecto de nuestra vida. Él, al igual que el sexo, es íntimo, creativo, santo y apasionado. Y desea que nuestra sexualidad también refleje quién es, por eso se revela a nosotros de diferentes maneras.

Dios es íntimo

Lo más importante para Dios en nuestra relación es el tiempo que pasamos a solas con Él, conociéndolo, disfrutando de su presencia, contemplándolo. Siempre desea ese tiempo para escucharnos y ser escuchado, para conectarnos corazón a corazón. Del mismo modo, Él espera que nuestra vida sexual se establezca en una atmósfera de intimidad, donde pasar tiempo conociendo y disfrutando a nuestra pareja constituye una prioridad. Este es un tiempo que nunca sentimos que sea suficiente, ya que nos regocijamos al máximo. ¿Es tu intimidad tal que te deleitas solo al escuchar la voz de tu pareja? ¿Eres capaz de perderte disfrutando las cosas que te dice? ¿Te atreverías a decir que ciertamente conoces el corazón de tu cónyuge?

> *Él espera que nuestra vida sexual se establezca en una atmósfera de intimidad, donde pasar tiempo conociendo y disfrutando a nuestra pareja constituye una prioridad.*

Dios es creativo

Dios creó todo de la nada. Su capacidad para producir lo que no existe es asombrosa. Dios llamó todas las cosas a su existencia por medio del poder de su palabra. Solo tenemos que mirar a nuestro alrededor y apreciar en la naturaleza la diversidad que Él nos ha regalado. Mientras escribo este capítulo, me encuentro en un rancho en las montañas de Craig, Colorado. Al trabajar justo frente a la ventana, puedo escuchar los árboles de Aspen cantar sutilmente avisando que la lluvia se acerca. Su altura imponente, única y silvestre me recuerda que hubo un Creador que tuvo en cuenta cada detalle de esta imponente elevación. Así como también de los árboles, los animales, los llanos.

> *Tenemos la capacidad de crear colores, sensaciones, actitudes, olores, trabajar, servir... ¡de hacer todo lo que sea necesario para enriquecer nuestro matrimonio!*

Y ese mismo Dios mora en mi corazón y su naturaleza ha sido depositada en mí. Él también puede morar en ti y darte su naturaleza. ¡Si no tienes esta seguridad, solo pídeselo y Él lo hará! Los seres humanos somos capaces de actuar haciendo uso de esa creatividad que Dios nos ha dado, y la expectativa es que la usemos en la relación con nuestra pareja. Debemos sentirnos inspirados a producir entre nosotros lo que haga falta. Tenemos la capacidad de crear colores, sensaciones, actitudes, olores, trabajar, servir... ¡de hacer todo lo que sea necesario para enriquecer nuestro matrimonio!

> *¡La santidad y el sexo no solo comienzan con la misma letra, sino que terminan de la misma manera, agradándole a Él!*

Dios es santo

Nuestro Dios es santo y puro, sin manchas. Este no es un tema muy popular. En realidad, muchas personas me catalogarían de anticuada o religiosa si comenzara una conferencia hablando de ello. ¡Pues lo hago! Comienzo la mayoría de mis conferencias proclamando que Dios es santo y espera santidad de los suyos. ¡La santidad y el sexo no solo comienzan con la misma letra, sino que terminan de la misma manera, agradándole a Él!

Existe la expectativa de que nuestras vidas reflejen pureza e integridad, lo mismo de forma individual que como un matrimonio. "Honroso sea en todos el matrimonio, y el lecho sin mancilla" (Hebreos 13:4, RVR-60). En nuestras relaciones no hay lugar para la mentira, el engaño, la pornografía, el adulterio o cualquier otra cosa que manche o ensucie nuestra vida, la de nuestra pareja, o el nombre de Dios en nosotros.

Dios es apasionado

Hay tanta pasión en Dios por los seres humanos que entregó a su Hijo para que muriera por nosotros a fin de que pudiéramos tener vida eterna y viviéramos recibiendo nuevas misericordias cada día. Esta no fue una pasión de la carne, momentánea y limitada. Fue una pasión producto de la entrega y el compromiso. Él no nos dio algo bueno, sino lo mejor. No nos dio de lo que sobreabundaba, sino lo único en su clase. Dios desea que nuestra pasión del uno por el otro refleje su misma entrega y compromiso. Que seamos capaces de

Dios desea que nuestra pasión del uno por el otro refleje su misma entrega y compromiso.

renunciar a lo que más amamos por el bienestar de nuestro cónyuge y podamos brindarle nuevas muestras de gracia a diario. Esta pasión requiere que andemos muy cerca de Él cada día. Ser egoístas es nuestra naturaleza, pero si vamos a reflejar el tipo de amor que Dios reflejó por nosotros, vamos a necesitar que su Persona crezca en nuestro interior. El verdadero amor no busca lo suyo.

La segunda razón por la que Dios creó la sexualidad es esta: Una vez que comenzamos a entender la intimidad con Dios, su creatividad, su capacidad perfecta de ser santo y su pasión persistente por nosotros, entonces somos capaces de intentar proveer un placer que va más allá de los límites físicos.

Las Escrituras señalan:

> *"Que tu esposa sea una fuente de bendición para ti. Alégrate con la esposa de tu juventud. Es una cierva amorosa, una gacela llena de gracia. Que sus pechos te satisfagan siempre. Que siempre seas cautivado por su amor".*
>
> **—Proverbios 5:18-19**

FASES PARA LA INTIMIDAD SEXUAL

Desde los tiempos de las investigaciones de Alfred Kinsley hasta nuestros días existen muchos modelos para referirse al ciclo sexual que produce placer mutuo. Al igual que con muchos otros temas, hay un montón de opiniones encontradas sobre cuál es el verdadero orden en el que ocurren las cosas. Existen muchos aspectos difíciles de comprobar científicamente, así que cada investigador trata de validar su teoría y las personas deciden qué vertiente seguir. Masters y Johnson sugieren un modelo donde se comienza con el deseo, luego se alcanza una fase de excitación seguida por un período de estabilidad, concluyendo con el orgasmo. Helen Kaplan habla de un modelo trifásico donde primero se experimenta deseo, luego excitación y por último se llega al orgasmo. Basson propone un modelo circular, diferente a los dos anteriores, que son de forma lineal. Ella tomó en cuenta factores como la complejidad de la mujer y su forma de asimilar y responder, factores culturales y otras cosas ignoradas hasta ese entonces. Veamos estas fases un poco amplificadas.

Fase 1: Atmósfera

Somos creadores de atmósfera en todo sentido: en lo espiritual, lo emocional y hasta en lo físico. Para que exista una atmósfera que conduzca a la intimidad sexual debemos tener privacidad. No podemos sentir que estamos expuestos a nuestros hijos o a cualquier otra persona que viva en nuestra casa. No podemos tener dudas con respecto a nuestro entorno, pensando si hay una puerta abierta o una ventana por donde nos pudieran ver o escuchar. Otro elemento esencial para una atmósfera perfecta es la energía. Un hombre cansado, agotado luego de una larga faena, pudiera no lograr una erección. De igual manera, una mujer cansada no se va a querer involucrar en el compromiso de llegar a un orgasmo (aunque déjenme aclararles que luego de un buen encuentro sexual se duerme más profundo). Otro elemento es el tiempo. Una vez más, aquí vemos diferencias bien marcadas entre el hombre y la mujer. El hombre con dos minutos tiene para llegar a una resolución; sin embargo, ese no es el comportamiento más frecuente de la mujer, aunque pudiera. Si has estado en una de nuestras conferencias, seguro que has escuchado hablar de las diferencias entre la comida chatarra que ordenamos por la ventanilla del autoservicio y la gran comida que tardamos un buen tiempo en preparar. Nunca sobreviviremos de forma saludable comiendo papitas fritas y hamburguesas de mala calidad. Es necesario comer buenos vegetales (mientras más variedad de colores más nutrición), un pollo horneado, una carne bien preparada... en fin, podemos disfrutar de unas ricas papas fritas crujientes y saladitas de vez en cuando y

Debemos hacer la decisión de invertir el tiempo necesario para preparar y disfrutar de todo un manjar sexual.

son sabrosas, pero la mejor elección, la más saludable, es decidir emplear el tiempo para preparar una comida sana y nutritiva. Lo mismo ocurre con el sexo, debemos hacer la decisión de invertir el tiempo necesario para preparar y disfrutar de todo un manjar sexual, en el que vamos saboreando paso a paso cada plato hasta terminar con el postre e incluso con un cafecito.

Otro elemento que vemos que se va perdiendo con el tiempo es la anticipación. El sexo se vuelve común y rutinario, y perdemos el interés. Nuestra pareja no nos entiende y no estamos satisfechos. Nuestro cuerpo cambia y madura, y no sabemos cómo manejarlo. Sin embargo, es muy importante saber que tu cónyuge anhela tiempos de intimidad contigo, al igual que tú debes manifestar sentir el mismo deseo. La anticipación ayuda no solo al estado emocional y mental, sino prepara al cuerpo físicamente. Los músculos se relajan, las hormonas fluyen, los lubricantes que el cuerpo produce naturalmente son segregados. Así que saquemos ventaja de esta maravillosa sensación y anticipemos grandes banquetes y también algunas aventuras locas por el autoservicio (¡aunque no literalmente, ya que pudiéramos ser multados por conducta pública inapropiada!).

La iniciación y el consentimiento mutuo son elementos que van mano a mano. Mientras que los dos debemos sentirnos con la libertad de iniciar un encuentro íntimo, espiritual o sexual, es igualmente cierto que debemos estar de acuerdo en ser parte de dicho momento. Dios toca a la puerta y llama. No entra sin pedir permiso. Es muy común pensar que el hombre es el encargado de iniciar. Y si bien es cierto que a la mujer le gusta mucho sentirse buscada, conquistada y perseguida, también es cierto que el hombre disfruta que una mujer lo busque porque lo desea y encuentra satisfacción en él. Estar de acuerdo quiere decir que respetamos cómo el otro se siente y entendemos que muchas cosas pudieran afectar nuestra disponibilidad emocional, espiritual o física. En este momento no estamos haciendo referencia a negarnos, sino más bien a ser considerados y respetuosos, a mostrar amor de una forma que no busque lo suyo.

Fase 2: Excitación

Somos seres altamente reactivos y sensibles al toque y las emociones, incluso si no estamos conscientes de ello. La piel es nuestro mayor órgano y percibe millones de estímulos que son transportados a nuestro cerebro causando reacciones que pudieran ser muy placenteras y conectivas. En la medida en que nos sentimos cómodos en nuestra relación conyugal, seremos capaces de abrazar una vulnerabilidad juguetona en nuestra intimidad. Una vulnerabilidad que nos permite reírnos y experimentar cosas que son exclusivas de una pareja. Detalles de los cuales se reirán solos después. Bellos momentos de inocencia y falta de experiencia que enriquecen la sexualidad. Nadie se siente experto. Los dos están aprendiendo a ser libres, honestos, únicos.

En la medida en que nos sentimos cómodos en nuestra relación conyugal, seremos capaces de abrazar una vulnerabilidad juguetona en nuestra intimidad.

Durante la fase de excitación ocurre una exploración mutua que envuelve todos los sentidos. Es importante recordar qué cosas estimulan los sentidos de una manera positiva, como los olores que le agradan a tu pareja. Debe prestársele mucha atención a estos detalles, ya que cada ser humano es creado de una forma muy única y exclusiva (de ahí que haber tenido muchos amores en tu vida no te hace un experto). Por ejemplo, hay una mujer a la cual oler el sudor de su esposo luego de un día largo de trabajo le resulta sexualmente estimulante. Es posible que ella asocie este olor con su padre, que era un buen proveedor. Puede que simplemente le agrade ver cómo su esposo está comprometido a proveer para su familia. Sin embargo, otra mujer en la misma circunstancia le pide a su esposo que se duche antes de venir a pasar un tiempo con ella. La misma realidad se aplica a los hombres. Los sentidos ayudan a que la pasión aumente.

Debes descubrir el sabor de tu esposo o tu esposa. Si te preguntara a qué sabe tu pareja, ¿pudieras describirlo? ¿Qué clase de sonidos son de su agrado durante la intimidad? ¿Conocen ambos su lenguaje íntimo? ¿O es que aún necesitan desarrollar un lenguaje de amor que sea exclusivo para ustedes dos? La tendencia es que los sonidos que indican placer físico pudieran ser embarazosos o provocarle mucha pena a alguien con una personalidad tímida, incluso a muchas mujeres. No obstante, tener un lenguaje sexual ayuda a la satisfacción y a disfrutar de un mayor placer.

La verdad es que algunos han sido afectados por experiencias negativas del pasado (experiencias sexuales a destiempo, pornografía, entre otras cosas) y necesitan redimir este aspecto de sus vidas. Es necesario renovar nuestras mentes con lo nuevo de Cristo para ser como niños en todas las áreas de nuestra vida, incluyendo la sexual.

Fase 3: Clímax

En este momento es cuando existe la mayor concentración de placer. Hay un aumento en las respuestas que parece llevar al cuerpo a un lugar fuera de control. A los que están muy acostumbrados a controlarlo todo les puede resultar difícil disfrutar de este momento, ya que la sensación es muy diferente y tal vez parezca desconcertante. Sin embargo, debe existir un total abandono al acto de hacer el amor y rendir todo control, aun el de nuestras reacciones físicas.

Paradójicamente, este constituye el momento más espiritual en el intercambio sexual. ¡Es cuando decidimos imitar a Cristo y morir al yo para que otro pueda experimentar la vida! En este momento pudiera crearse vida literalmente. Al fundir sus cuerpos y convertirse en una sola carne, fluyen el perdón, la sanidad, la esperanza, la reconciliación y nueva vida para el matrimonio. No siempre es algo explosivo o dramático, como suele verse mal representado en muchas películas. Puede ser tenue y profundo e igualmente poderoso. No permitas que nadie defina cómo debe responder tu cuerpo. Concédete la libertad de disfrutar con tu pareja y determinen juntos cuál es su definición de normal, fabuloso y espectacular.

Fase 4: Resplandor crepuscular

Aunque no lo creas, un encuentro sexual no termina con el orgasmo (si hubo alguno). El resplandor crepuscular habla de un brillo, una viveza de color en el ocaso, después de la puesta del sol. Cuando el sol se encuentra en su máximo esplendor y posee una capacidad de energía insuperable en su zenit, es muy difícil para el ser humano tomar ventaja de ello y disfrutarlo. No podemos ni siquiera verlo bien con nuestros ojos. Así ocurre con la intimidad sexual. Pareciéramos estar en nuestro mejor momento cuando experimentamos una cantidad máxima de excitación física. Sin embargo, eso no es necesariamente cierto. Como sucede al atardecer mientras se está poniendo el sol, el resplandor crepuscular se reviste de colores hermosos que nunca pudieran ser apreciados a luz del mediodía. Cuando contemplas lo que pareciera un sol debilitado o durmiente, te das cuenta de que puedes disfrutarlo desde otro ángulo y ser sorprendido por unas tonalidades que no existieran de otra manera. Es un tiempo de contemplación y admiración.

De igual modo, en el sexo tiene lugar un tiempo de reestabilización, abrazos y toques, donde le permitimos al corazón volver a sus latidos normales y recobramos la capacidad de respirar profundamente.

De igual modo, en el sexo tiene lugar un tiempo de reestabilización, abrazos y toques, donde le permitimos al corazón volver a sus latidos normales y recobramos la capacidad de respirar profundamente. Sin necesidad de agitación física, podemos continuar disfrutando del momento en profunda reflexión.

Cuando nos relacionamos con nuestro cónyuge de esta manera, nuestra relación sexual será capaz no solo de originar vida para propagar la raza humana (Génesis 1:28), crear pertenencia (1 Corintios 7:3-4), y producir unión y comunión (Mateo 19:5), sino que seremos capaces de establecer la clase de matrimonio que agrada a Dios y en el que aun durante los años plateados o dorados encontraremos complacencia en el lecho matrimonial. Recuerda, para que hubiera una vida fructífera y eterna fue necesario que hubiera muerte, la muerte de Jesús. ¡Asimismo, debemos morir a nosotros mismos en nuestro lecho conyugal para experimentar ese placer seguro que alienta tu corazón y durará para siempre trayendo frutos eternos!

Dentro de este capítulo quiero incluir una sección destinada a aquellos que llevan años sin tener relaciones sexuales y están listos para reanudar esta actividad. Con frecuencia a nuestro centro llegan parejas en las que ambas partes han estado solteras y en celibato, pero están a punto de volver a casarse. O la típica pareja de esposos que se han apartado y enfriado, pero luego de una intervención profesional están listos para retomar su camino. No siempre son los más jóvenes. A veces hay temor o inseguridad, porque pasan de los cincuenta y los sesenta años de edad. La doctora Yvonne Butler Tobah, M.D. en un artículo escrito para la Cínica Mayo, nos ayuda a entender que es posible retomar la actividad sexual a cualquier edad siempre que se esté dispuesto a invertir un poco de tiempo y paciencia.

Por ejemplo, la vagina y la abertura vaginal con la edad a menudo se hacen más pequeñas y la membrana que recubre la vagina se torna más delgada, en especial cuando los niveles de estrógeno son bajos. Debido a esto la vagina puede demorarse más en expandirse y lubricarse durante la excitación sexual. Y a raíz de todos estos cambios la actividad sexual puede provocar dolor.

Aquí menciono algunos pasos para que la actividad sexual sea más cómoda:

- Comienza con un tiempo de toques y caricias como preámbulo. La interacción previa ayuda a estimular la lubricación natural.

- Asegúrate de que la lubricación sea adecuada. Prueba algún lubricante de calidad orgánica. Si sigues teniendo dolor durante las relaciones sexuales, pregúntale al médico sobre la terapia con estrógeno vaginal, disponible en forma de cremas, tabletas o anillos vaginales, o alguna otra opción de tratamiento.

- Prueba distintas posiciones. Experimenta con posiciones nuevas para encontrar la que te haga sentir mejor. Esto se aplica para los dos, tanto la mujer como el hombre.

- Pregúntale al médico sobre los dilatadores vaginales. Tras un largo período de abstinencia, la vagina puede demorar en expandirse para que el pene sea capaz de ingresar. Un dilatador es un tubo suave que se puede usar a fin de expandir cuidadosamente los tejidos vaginales. El médico puede ayudarte a escoger el tamaño correcto. El profesional te recomendará que te coloques el dilatador en la vagina durante algunos minutos varias veces a la semana. Permíteme aclarar que no estamos hablando de juguetes sexuales, sino haciendo una sugerencia profesional y médica de tratamiento monitoreado por un profesional del área. En nuestro caso personal, siempre incluimos a ambos cónyuges en este proceso de ejercicio y aprendizaje.

Por último, ambos deben recordar que hay mucho más en el sexo que el coito en sí. Existen actividades como hablar, acariciarse y besarse que pueden ayudar a generar intimidad y lograr la satisfacción sexual.

SALUD, HORMONAS Y DISFUNCIONES

por Danisa

H ay mucho que aprender sobre las influencias físicas de nuestro cuerpo en lo que respecta al deseo y el acto sexual, las hormonas, las enfermedades y los medicamentos. Incluso los científicos y analistas no están completamente de acuerdo, pues existen demasiados factores que influyen en esto. Por un lado, están los estudios científicos creíbles, por el otro tenemos la comercialización de las medicinas y los servicios, así como las preferencias por métodos menos invasivos y más a favor de la medicina natural. No podemos olvidar que en este asunto sucede como en todo lo demás, uno narra la historia desde su perspectiva en el este y el otro desde su perspectiva en el oeste. No se trata de un tema sencillo, y cada quien tiene su punto de vista. Diferentes personas experimentamos un evento de forma muy distinta dependiendo de dónde estamos paradas en el mismo salón.

Como creyente, siempre considero los números que brinda la estadística no como información absoluta, sino como un marco de referencia que me alerta y reta a provocar una respuesta de parte de Dios que, como todo lo que Él desea para nosotros, sea favorable. Teniendo esto en cuenta, miremos el efecto que poseen las hormonas sobre nuestro cuerpo.

La Clínica Mayo nos alerta sobre el tema recordándonos que la sexualidad es parte del ser humano. El amor, el afecto y la intimidad tienen todos un papel en las relaciones saludables desde la infancia hasta la vejez.

Con frecuencia habrás escuchado hablar sobre la importancia de la salud física, mental y espiritual, pero sentir confianza con respecto a tu salud sexual también es fundamental. Lograr una buena salud sexual te permite:

- Tener relaciones saludables.
- Planear los embarazos.
- Prevenir las enfermedades.

Por lo tanto, resulta esencial estar bien informados sobre todos los aspectos de la salud sexual y qué se necesita para tener una vida sexual satisfactoria. Del mismo modo es importante ser consciente de los factores que pueden complicar tu salud sexual. No dejes que la vergüenza te impida hablar con tu doctor u otro profesional de la salud sobre lo que te preocupa o hacerle preguntas.

Ya que sabemos que el buen sexo es beneficioso para tu salud, veamos algunos estudios científicos que proponen que la intimidad sexual es buena para tu cuerpo y tu salud emocional. Sin embargo, no quiero dejar de aclarar antes que solo el buen sexo produce beneficios, es decir, el sexo que conecta emocionalmente y que tiene lugar en una relación de compromiso y confianza donde nos sentimos seguros y amados. Esto tampoco tiene que ver con la frecuencia o la habilidad física de la pareja.

Existen artículos acreditados que afirman que el buen sexo ofrece cuidado mutuo y la intimidad recíproca contribuye a una larga vida.[3] ¡También se habla de una mejoría en la salud cardiovascular, reduciendo las posibilidades de sufrir un paro cardíaco! Estos beneficios no son vinculados solamente con el bienestar que produce el ejercicio físico al tener sexo, sino una vez más, con la conexión emocional existente durante el acto sexual.

En su libro *Sexual Healing* [Sanidad sexual], el Dr. Paul Pearsall, director de Medicina del Comportamiento en el Hospital Beaumont, en Detroit, escribió sobre la "inoculación íntima," una protección en contra de las enfermedades que surge de los placeres de vivir y amar.[4] ¿Cómo exactamente se establece esta defensa? El concepto de esta sanidad sexual viene de la asociación de los cambios medibles que produce una relación íntima en las sustancias neuroquímicas y las hormonas que promueven la salud y la sanidad. La Universidad Wilkes de Pennsylvania realizó un estudio que apoya esta observación.[5]

El ejercicio sexual conduce a cuerpos bien tonificados. Cuando disfrutas media hora de ejercicio sexual quemas unas ciento cincuenta calorías, y tu pulso aumenta de setenta latidos por minuto a ciento cincuenta. Todo tu cuerpo trabaja, especialmente los brazos, los glúteos, la pelvis, los muslos, el tórax y el cuello, fortaleciendo de esta manera tu metabolismo. Además, el sexo aumenta la respiración, lo que eleva la cantidad de oxígeno en tus células logrando que tus órganos funcionen de una forma óptima. El sexo también es responsable de impulsar la producción de testosterona, lo cual genera músculos y huesos más fuertes, disminuyendo la posibilidad de osteoporosis.

Las mujeres se benefician al tener mayor control de la vejiga. El sexo regulariza las secreciones hormonales. Contribuye a normalizar la secreción de las hormonas de la fertilidad, al igual que a mejorar el ciclo menstrual. Sin embargo, uno de los mejores atributos del sexo es que alivia el dolor. Aparentemente, justo antes de un orgasmo, el cuerpo experimenta un alto fluir de la hormona que nos hace sentir bien —la oxitocina— la cual libera endorfinas que alivian el dolor. Así que si tienes un simple dolor de cabeza o una migraña fuerte, dolor de artritis u otro malestar, ten en mente que tu mal puede aliviarse luego de una buena sesión sexual.

¡No obstante, mucho cuidado con querer obtener un excesivo provecho de estos beneficios! Recordemos que demasiado de una cosa buena también puede hacer que pierda su encanto. Además, la clave del asunto no es el intercambio físico, como hemos dicho antes, sino la conexión íntima, nunca debemos perder esta perspectiva. Nuestro cuerpo con su diseño original de forma perfecta nos indica nuestro ciclo saludable.

La oxitocina es una hormona relacionada con los patrones sexuales y la conducta maternal y paternal, la cual actúa también como un neurotransmisor en el cerebro. Algunos la conocen como la hormona del amor o el toque, aunque entre los solteros o las personas sin pareja no parece tener el mismo efecto. En las mujeres, la oxitocina se libera en grandes cantidades durante el parto o cuando el bebé succiona el pezón de su madre, facilitando en estos casos el alumbramiento y la lactancia.

No obstante, se suele sugerir que la oxitocina es la hormona del amor y el placer porque también está presente cuando se disfruta un orgasmo, tanto en hombres como en mujeres, siendo la encargada de la relajación, la conexión y haciéndonos más sensibles al toque. De igual modo, cuando una persona se enamora, la hormona que aparece en su cerebro es la oxitocina.

Así que a partir de ahora pudiéramos sentirnos más cómodos al decir que la oxitocina es la hormona del amor, el placer... y hasta de la fidelidad. Esto último, al menos en los hombres, pues un estudio de la Universidad de Bonn (Alemania) ha concluido que con esta hormona los hombres tienen una tendencia a mantenerse fieles a sus parejas.

Cuando el cuerpo no está funcionando apropiadamente (no estoy hablando de desórdenes sexuales, traumas, etc.) y hay un déficit en cualquiera de estas sustancias, se produce un desbalance y nos sentimos mal.

Existen otras hormonas importantes que cumplen una función en el cuerpo humano. Las endorfinas, por ejemplo, nos hacen sentir bien. Nos protegen del dolor y ofrecen una sensación de bienestar. El estrógeno y la progesterona deben tener el balance perfecto. El estrógeno muy elevado le ofrece demasiada estimulación al sistema nervioso (razón por la que muchas mujeres rechazan el toque en cualquier área de su cuerpo con terminales nerviosas, como la vagina, ya que resulta exageradamente incómodo), mientras que la progesterona nos calma.

El sonido, el olor, la vista, el gusto y el toque producen o transmiten las sensaciones del deseo. De ahí que las hormonas ligadas a este proceso sean de tanta importancia para nuestra vida sexual, y en última instancia, para tener un cuerpo sano en general. Deseamos, anhelamos y necesitamos la nutrición emocional que proviene del toque como una vitamina esencial. La verdad es que no podemos vivir sin tocarnos, lo que nos llevará al deseo sexual y por ende a una experiencia sexual más satisfactoria. La piel es el órgano más grande del cuerpo humano. ¡Así que el toque conecta, excita y sana! Cuando no experimentamos el toque lo suficiente, desarrollamos una especie de deficiencia que se puede llamar de cualquiera de estas formas: depresión, estrés, ansiedad, agresión, crisis de media vida, desilusión matrimonial o apatía.

¡Con todo, los problemas hormonales tienen solución! Nosotros somos capaces de controlar y procesar la información que llega a nuestra mente. Podemos dar pasos a fin de educarnos más y conocer mejor nuestro cuerpo, de forma que podamos escuchar lo que nos dice que le hace falta.

Tratamiento para la disfunción sexual (para ambos)

La selección de un tratamiento para la disfunción sexual depende de la causa de sus problemas y de sus creencias en términos de medicina natural y avances científicos. A menudo, lo más eficaz es una combinación de varios tratamientos. Si tienes una enfermedad que te está causando síntomas específicos, habla con tu médico sobre lo que puedes hacer.

También te recomendamos hablar con tu pareja acerca de lo que está sucediendo. Hay casos donde todo lo que se necesita es una mejor comunicación. Si es necesario, puedes recibir terapia individual y de pareja. La terapia sexual, que por lo general es un paso posterior en el proceso (luego de determinar alguna enfermedad física), igualmente puede ser muy beneficiosa. Recuerda que es importante conocer las creencias del terapeuta sexual que piensas consultar, ya que en este campo pueden existir tratamientos y recomendaciones que sean basados en las verdades bíblicas. Existen varias organizaciones respetables donde puedes buscar un terapeuta con valores espirituales similares a los tuyos y con credenciales profesionales de instituciones acreditadas como Enfoque a la Familia y el Instituto para la Integridad Sexual.

Una vida sexual saludable depende de una combinación compleja de muchos factores. Igual sucede con una vida sexual problemática. Los problemas de salud, ciertos medicamentos, los cambios en los niveles hormonales, los problemas de pareja o familia y los trastornos psicológicos pueden contribuir a la disfunción. Un profesional capacitado tomará en cuenta todos estos factores y hará recomendaciones que reflejen cada aspecto de influencia.

Medicamentos

Si ciertos medicamentos están causando los problemas, tu médico puede cambiarlos. Es posible que otros medicamentos también sean beneficiosos.

Por otra parte, ten mucho cuidado con los tratamientos de venta sin receta. Nunca tomes medicamentos que han sido recetados a tu cónyuge o a alguna otra persona. Pudieras estar poniendo tu vida en peligro, además de estar violando varias leyes sobre el control de sustancias.

Cambios de estilo de vida

Algunas personas descubren que perder peso, consumir una dieta sana, hacer ejercicio y dormir suficiente ayuda a aumentar su bienestar y el interés en las relaciones sexuales.

Trata de encontrar maneras de sentirte confortable con tu sexualidad. Esto puede implicar pensar en tu actitud hacia el sexo durante la infancia, buscar formas de aumentar tu autoestima y aceptar tu cuerpo tal como es.

Preguntas que debes hacerle a tu médico

Ten en cuenta que algunos médicos no han recibido capacitación para tratar problemas sexuales. Pregúntale a tu médico si se siente cómodo ayudándote a lidiar con un problema de esta índole. Si no, pregúntale si te puede recomendar a un experto que los pueda ayudar como pareja.

Antes de hacerle cualquier pregunta, ambos pónganse de acuerdo en lo que quieren decir. Piensen en maneras de hablar francamente y sin rodeos, y traten de ser lo más específicos posible. Aquí les proveemos una lista con algunas preguntas e ideas que pudieran ser pertinentes:

- Estoy insatisfecho(a)/triste/decepcionado(a) con mi vida sexual porque...

- Ha habido cambios en la relación sexual con mi pareja, como...

- ¿Cuáles son mis opciones de tratamiento?

- ¿Es necesario que los dos participemos?

- ¿El tratamiento va a aliviar mis síntomas?

- ¿Cuáles son los riesgos y beneficios de cada opción de tratamiento?

- ¿Cuánto tiempo necesito tratamiento?

- ¿Está este tratamiento cubierto por mi seguro médico?

- ¿Cuánto me puede costar?

- ¿Debo consultar a un especialista?

La disfunción sexual femenina

Muchas mujeres tienen una libido baja o problemas para alcanzar el orgasmo. A algunas mujeres no les molesta esto, pero a otras sí. La mujer padece de una disfunción sexual femenina cuando está incómoda o descontenta con su bienestar sexual.

Existen varios tipos de disfunción sexual femenina:

- Bajo apetito sexual.

- Dificultad con la estimulación sexual.

- Dificultad para alcanzar el orgasmo.

- Dolor durante las relaciones sexuales.

La mujer puede sufrir más de uno de estos problemas, los cuales a menudo están relacionados. La disfunción sexual puede ser permanente o temporal. Es posible que se presente todo el tiempo, solo con una pareja determinada, o en momentos específicos como después del embarazo.

Causas de la disfunción sexual femenina

Físicas

- Problemas de salud: diabetes, enfermedades cardíacas, cáncer, artritis, esclerosis múltiple o consumo excesivo de bebidas alcohólicas.

- Medicamentos para tratar la hipertensión arterial, la depresión y el dolor; anticonceptivos orales.

- Problemas ginecológicos: endometriosis, cistitis, problemas en los músculos pélvicos o dolor pélvico crónico.

- Cirugía pélvica o genital que causa cicatrices, disminución del flujo sanguíneo o daño a los nervios en la zona genital.

Hormonales

- Disminución del nivel de estrógeno debido a la menopausia (natural o quirúrgica) o insuficiencia ovárica prematura (cuando los ovarios dejan de funcionar antes de los cuarenta años).

- Disminución del nivel de testosterona, la cual las mujeres producen en pequeñas cantidades. Esto sobreviene con el envejecimiento o tras la extirpación de los ovarios.

Psicológicas y emocionales

- Angustia mental: estrés, ansiedad, depresión, trastornos de la alimentación, abuso sexual pasado, temor a embarazos no deseados.

- Relaciones de pareja: aburrimiento, ira, lucha por el poder, abuso (físico o emocional).

- Creencias religiosas o culturales sobre el sexo.

La disfunción sexual masculina

Las disfunciones sexuales son problemas en la respuesta

sexual humana (el deseo, la excitación y el orgasmo) que usualmente impiden el desarrollo de una vida erótica plena, afectan la salud integral y la autoestima del individuo, así como su relación de pareja.

Característica de la disfunción sexual masculina

Para que un hombre considere que tiene una disfunción sexual es necesario que presente problemas para sentir el deseo sexual (tener ganas), o para excitarse (lograr la erección), o para alcanzar el orgasmo (eyacular y sentirlo).

Cualquier hombre puede ocasionalmente experimentar fallas en la respuesta sexual (deseo, excitación u orgasmo), sin embargo, se habla de disfunción sexual cuando el problema se presenta durante un tiempo (por lo menos tres meses) y de manera persistente, es decir, la dificultad se repite una y otra vez durante esos tres meses.

Existen varios tipos de disfunción sexual masculina:

1. Disfunciones del deseo.

2. Disfunciones de la excitación sexual.

3. Disfunciones del orgasmo.

Las *disfunciones del deseo* se presentan si el problema sexual se refiere a la falta o exceso de "ganas" de tener una actividad sexual.

El deseo sexual hipoactivo

En esta disfunción, el hombre evidencia los siguientes síntomas:

- Ha perdido las "ganas" de tener un encuentro sexual.

- Han disminuido sus pensamientos y fantasías sexuales.

- Ha disminuido la frecuencia con que inicia la actividad sexual.

El deseo sexual hiperactivo

En esta disfunción, el hombre evidencia los siguientes síntomas:

- Siente deseo sexual (ganas) casi todo el tiempo, casi todo el día, en cualquier momento, no importa lo que esté haciendo.

- No puede controlar o postergar la necesidad inmediata de satisfacer su deseo sexual.

- No puede detener su conducta a pesar de las consecuencias nocivas en su trabajo, personales o con su pareja.

Las *disfunciones de la excitación* tienen lugar si hay dificultades ya sea para "sentirse excitado" durante la actividad sexual o para "lograr una erección", o si se presentan ambas vivencias.

Disfunción eréctil: Es la incapacidad repetida de lograr o mantener una erección lo suficientemente firme como para tener una relación sexual satisfactoria. Algunos varones presentan problemas para lograr la erección; otros sí la logran, pero es incompleta; otros sí la consiguen, pero la pierden antes de eyacular. Todas estas diversidades son problemas de la excitación masculina.

Las *disfunciones del orgasmo* tienen que ver con dificultades para sentir el orgasmo o para eyacular, o incluyen ambos problemas.

La eyaculación precoz: La disfunción más frecuente es la eyaculación precoz, que implica que el hombre no controla (voluntariamente) el momento en el que desea eyacular. La eyaculación aparece rápidamente de una forma inevitable e inoportuna.

La eyaculación retardada: Esta disfunción se manifiesta de manera contraria a la eyaculación precoz. Consiste en que el varón no puede o le resulta sumamente difícil eyacular a pesar de recibir estimulación adecuada, desearlo e intentarlo.

La insensibilidad orgásmica: Esta disfunción se manifiesta de manera contraria a la eyaculación precoz. Cuando un hombre presenta este problema, su cuerpo tiene la respuesta del orgasmo (es decir, sí eyacula), pero no experimenta las sensaciones placenteras del mismo, como si estuviese desconectado de sus sensaciones.

La dispareunia: Esta disfunción se presenta como dolor o molestia recurrente antes, después o durante la unión sexual. En la mayoría de los casos se refiere a dolor en la eyaculación.

La evitación sexual fóbica: En esta disfunción el varón sufre un intenso malestar, temor, angustia, sensación de dificultad para respirar y otros síntomas cuando se acerca la posibilidad de tener un encuentro erótico, incluso a pesar de desear y amar a su pareja. Esta respuesta incontrolable hace que el hombre evite toda situación de índole sexual.

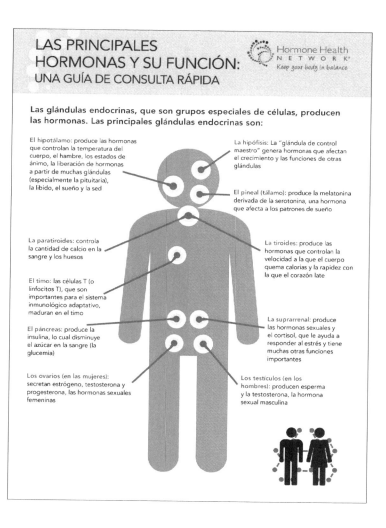

LAS PRINCIPALES HORMONAS Y SU FUNCIÓN:
UNA GUÍA DE CONSULTA RÁPIDA

Hormone Health
N E T W O R K®
Keep your body in balance

Las glándulas endocrinas, que son grupos especiales de células, producen las hormonas. Las principales glándulas endocrinas son:

El hipotálamo: produce las hormonas que controlan la temperatura del cuerpo, el hambre, los estados de ánimo, la liberación de hormonas a partir de muchas glándulas (especialmente la pituitaria), la libido, el sueño y la sed

La hipófisis: La "glándula de control maestro" genera hormonas que afectan el crecimiento y las funciones de otras glándulas

El pineal (tálamo): produce la melatonina derivada de la serotonina, una hormona que afecta a los patrones de sueño

La paratiroides: controla la cantidad de calcio en la sangre y los huesos

La tiroides: produce las hormonas que controlan la velocidad a la que el cuerpo quema calorías y la rapidez con la que el corazón late

El timo: las células T (o linfocitos T), que son importantes para el sistema inmunológico adaptativo, maduran en el timo

El páncreas: produce la insulina, lo cual disminuye el azúcar en la sangre (la glucemia)

La suprarrenal: produce las hormonas sexuales y el cortisol, que le ayuda a responder al estrés y tiene muchas otras funciones importantes

Los ovarios (en las mujeres): secretan estrógeno, testosterona y progesterona, las hormonas sexuales femeninas

Los testículos (en los hombres): producen esperma y la testosterona, la hormona sexual masculina

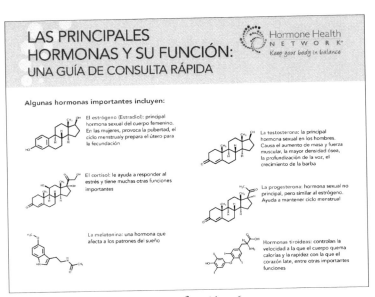

Las principales hormonas y sus funciónes[6]

EL SEXO GENTIL

7

por Jorge

Gentileza en la sexualidad

La mayoría de los hombres crece con la idea de que el sexo es una herramienta para satisfacer sus propias necesidades debido a su uso prematuro e inapropiado. Sin embargo, a raíz de la experiencia personal y que he adquirido con los años en la consejería matrimonial, he descubierto que el sexo es un acto gentil que tiene como finalidad no solo traerles satisfacción a ambos cónyuges (y no a uno solo), sino también concertar con éxtasis el efecto glorioso que la sincronización emocional activa en los dos integrantes de la relación.

He mencionado varias palabras claves en esta definición: éxtasis, glorioso, sincronización y emocional. No puedo pensar en términos más acertados para definir lo que es el sexo gentil. El sexo gentil no solo se refiere al simple acto de llegar a la cama y alcanzar un orgasmo con tu pareja, o a minimizar todos los beneficios que el

> *Más bien, el sexo gentil tiene todo que ver con desarrollar la habilidad de permanecer sensible frente a las necesidades de tu pareja y conduce a desarrollar una intimidad mucho más cohesiva.*

acto sexual de por sí puede aportar a tu matrimonio. Tampoco pretende robarte la plenitud que anhelas encontrar cuando estás envuelto íntimamente con tu cónyuge. Más bien, el sexo gentil tiene todo que ver con desarrollar la habilidad de permanecer sensible frente a las necesidades de tu pareja y conduce a desarrollar una intimidad mucho más cohesiva. Este tipo de intimidad no se da por sí sola. Para conseguir una intimidad cohesiva es necesario que tanto el hombre como la mujer estén alertas ante los indicadores que sugieren progreso o estancamiento en la dinámica matrimonial. Es decir, si te das cuenta de que tu esposa se retrae y no comparte sus emociones contigo, tu tarea como esposo es indagar para descubrir la causa de este síntoma. De igual manera, si descubres que tu esposo no corresponde emotivamente a tus contraseñas, es posible que la relación esté carente de algunos de los ingredientes esenciales para desarrollar una intimidad conyugal perdurable, renovada y dinámica.

El arte de la intimidad

Muy pocos de nosotros contamos con un vasto número de modelos de intimidad saludables que pudiéramos seguir. La mayoría fuimos influenciados por una cantidad de patrones que lamentablemente no eran lo suficiente saludables para ser imitados.

Así que la buena intimidad es un arte que debes aprender. Casi nadie tiene la habilidad de saber originarla por naturaleza. La intimidad que cada pareja desarrolla es un molde único que se ajusta a sus circunstancias individuales. Cada pareja representa una combinación de dos individuos que solo Dios pudo haber concebido en su sabiduría eterna, y es responsabilidad tanto del hombre como de la mujer aprender a combatir la ausencia de intimidad entre ellos.

> *La intimidad matrimonial requiere la coordinación de las diferentes circunstancias, necesidades, horarios y prioridades de dos individuos que trabajan muy atareados.*

La intimidad matrimonial requiere la coordinación de las diferentes circunstancias, necesidades, horarios y prioridades de dos individuos que trabajan muy atareados. No es inusual que la persona con mayor impulso tome las riendas e inicie el sexo con más frecuencia, y que la otra pareja acepte/responda o decline. Esto no significa que la misma persona deba iniciar todo el tiempo. Con mucha frecuencia en la terapia sexual escuchamos: "Yo soy el único (o la única) que inicia; me siento no deseado". Y también resulta común que el otro integrante de la pareja responda: "Es que no se me ocurre iniciar, pero me siento atraído a ti". Le recomendamos a cada miembro de la relación que le preste atención a su tipo de personalidad y estilo sexual. Si rara vez o nunca inicias, debes desarrollar un plan para ayudarte a recordarlo.

Katy Koontz, psicóloga en el Centro de Función Sexual en la Fundación de la Clínica Cleveland, aporta lo siguiente en un artículo publicado por *Reader's Digest:* "Nosotros esperamos que la pareja se enamore, que sean los mejores amigos toda una vida, y que tengan sexo apasionado todas las noches. Pero este ideal para un matrimonio es imposible. Es mejor pensar más en la calidad que en la cantidad". A fin de activar la pasión en tu vida amorosa, es recomendable enfocarte en la calidad, no en la cantidad. De modo que establece un sistema. Crea arreglos para pasar tiempos de calidad a solas con tu pareja: tiempos para conversar sobre tus deseos y expectativas, escuchándose atentamente sin interrupciones y disfrutando de una intimidad emocional ininterrumpida.

La intimidad emocional comienza en diferentes puntos tanto para el hombre como para la mujer. Es importante que aprendamos a identificar lo que he llamado "intentos de conexión". Dentro de la limitación de cada cual, desarrollar la sensibilidad para captar estos intentos puede convertirse en un preventivo que rescata a la pareja de vivir bajo una tela de juicio que solo logra destruirlos.

Corazones conectados[6]

En esta ilustración aprendemos que el hombre y la mujer reaccionan de forma diferente frente a los distintos impulsos físicos y emocionales. El hombre tiende a abrirse emocionalmente a raíz de una actividad física, y esto como consecuencia se traduce en un sentimiento de cercanía emocional frente a su esposa. Por el contrario, la mujer prefiere tener una cercanía emocional primero, la cual provoca que su corazón esté satisfecho y listo para rendirse físicamente a su esposo.

> *El hombre tiende a abrirse emocionalmente a raíz de una actividad física, y esto como consecuencia se traduce en un sentimiento de cercanía emocional frente a su esposa.*

Esta es una de las razones por las que enfrentamos tantos descontentos durante las terapias de pareja. El esposo piensa que está haciendo lo mejor que puede para acercarse a la esposa. La esposa siente que él solo se acerca a ella cuando quiere sexo. No obstante, cuando analizamos estas diferencias, aprendemos que una de las armas que las mujeres pueden utilizar para provocar la apertura emocional del hombre es emplear gestos que sugieran cuán interesadas sexualmente están. La mujer tiene una llave irremplazable que puede abrir el interés emocional de su esposo.

El sexo ayuda al hombre a sentirse conectado a su esposa y amado como ninguna otra actividad. Contrario a toda creencia cultural, el sexo para el hombre no implica simplemente el estímulo visual o las sensaciones físicas y la descarga. El corazón y las emociones del hombre se abren a través del sexo, y de esta manera se siente emocionalmente conectado y realizado.

La esposa siente que él solo se acerca a ella cuando quiere sexo.

En capítulos anteriores, Danisa reta a la mujer a abrazar su sexualidad y a darse permiso para disfrutar del placer sexual. De igual manera, me apasiona retar a los hombres a consagrarse a su sexualidad según la manera en que Dios la ha diseñado. Dios nos ha regalado esta celebración dentro del matrimonio para ayudarnos a entender quién es Él y el tipo de intimidad que quiere tener con nosotros. Cuando el nivel de intimidad emocional en una relación mejora, adquirimos una respuesta totalmente opuesta a lo que es la vergüenza.

Si recuerdas el pasaje bíblico, Adán y Eva sintieron vergüenza en el momento preciso en que hubo una omisión de la transparencia, precisamente cuando se violaron los vínculos de la intimidad entre ellos. Igual sucede en todo matrimonio. Permitimos que nuestros sentimientos sean abolidos por el temor y la intimidación. Estos son dos enemigos mortales de una buena intimidad.

Ricardo y Amelia

Ricardo y Amelia viajaron desde Chicago hasta nuestras oficinas en Colorado Springs para recibir ayuda a través de una de nuestras clínicas matrimoniales. Una y otra vez identificamos que Ricardo se quedaba literalmente paralizado cuando la intimidación y el temor lo visitaban. Ricardo justificaba que su actitud de frialdad y poca proactividad se debía a su desconocimiento de cómo Amelia respondería. "¿Se enojará si le expreso lo que realmente estoy sintiendo?". "¿Será que no entenderá lo que siento?". "¿Por qué mi pareja no logra creer que en realidad sí quiero acercarme?".

Estos son algunos de los pensamientos que invaden la mente de alguien que está siendo atacado por la intimidación. Aunque en algunos casos la intimidación puede ser un "comportamiento" aprendido durante años de formación emocional, recomendamos practicar una autoevaluación para no permitir que tales pensamientos saboteen tu relación. Ricardo dejó de preocuparse tanto por cómo Amelia respondería, y con la práctica regular aprendió a estar más conectado con su amada esposa.

La esposa necesita saber que tiene acceso al corazón de su marido. Nada destruye más a una relación matrimonial que la desconfianza y la incredulidad. Cuando tu corazón está lejos de tu pareja, jamás podrás construir puentes de conexión.

RECETA PARA EL SEXO GENTIL

por Jorge

En este capítulo quiero sugerirte una pequeña fórmula que te ayudará a establecer las bases para disfrutar del sexo gentil, e igualmente a lograr que tu matrimonio alcance niveles de intimidad y compromiso de la mejor manera posible. Esta receta nació a raíz de nuestra propia práctica de psicoterapias, y sus seis ingredientes te ayudarán a mejorar el curso de tu relación hacia una mejor intimidad. La hemos definido a través del acróstico T-I-E-M-P-O.

Tiempo

Intencionalidad

Empatía

Moralidad

Persistencia

Oportunidades

Tiempo. Alguien dijo alguna vez: "Valora a quien te dedica su tiempo, pues te está dando algo que nunca recuperará". Esta reflexión tiene que ver con alguien que posee una actitud no egoísta. La inversión de tu tiempo siempre estará dirigida a algo o alguien que valoras. Si amas el fútbol, invertirás incontables horas aprendiendo o jugando este deporte. Te aprendes el nombre de cada jugador, sus puntajes y los juegos ganados. Si amas tu trabajo, mostrarás una dedicación completa en la oficina, cumplirás con los horarios establecidos por tu corporación, y no escatimarás cualquier sacrificio para no perder tu empleo. No obstante, si dices amar a tu esposa, ¿por qué no inviertes la cantidad de tiempo necesaria para fomentar esta relación? El tiempo siempre será un medidor de cuán sólida es tu relación. Mientras mayor tiempo pasas con la persona que amas, mayor habilidad tendrás de conocerla y conectarte con ella. ¿Recuerdas cuánto disfrutabas el tiempo que pasaban juntos durante los días en que solo eran novios? Cada minuto que compartías con tu pareja parecía que no era suficiente. Querías que los días tuvieran unas cuarenta y ocho horas para dedicarse más tiempo a compenetrarse el uno con el otro y demostrarse mutuamente lo importante que era esta relación para los dos.

Me sorprende comprobar que en una sociedad donde la comunicación y los medios de comunicación se han expandido tan vertiginosamente, existe una desconexión mayor que nunca dentro de las relaciones. La tecnología ha creado un abismo en la comunicación de las parejas, los ha separado. La comunicación que una vez nutría las venas emocionales en el matrimonio se ha reemplazado por dispositivos electrónicos que han creado condiciones dañinas para la salud emocional de la pareja.

Esto es semejante a nuestra relación con Dios. Para conocer a Jesús resulta indispensable que pases más tiempo con Él en su presencia. Cuando dedicas tu tiempo a la oración y el estudio de la Palabra, es cuando más descubres las cosas que alegran y entristecen el corazón de tu Padre celestial. De igual manera, a fin de fomentar una relación de intimidad es necesario dedicarle tu tiempo a la persona con quien has prometido pasar el resto de tus días.

Intencionalidad. Al estar enfocado en cultivar tu relación, te darás cuenta de que las ocasiones especiales no se dan por pura casualidad. Así que debes dedicarte a planificar las citas especiales y los momentos exclusivos de una manera más intencional. Tu objetivo principal debe ser compartir tiempos personales con tu pareja no simplemente para cumplir con otro asunto pendiente, sino más bien porque deseas estar con ella y sientes la necesidad de anunciarle al mundo que es la persona más especial para ti.

"Me llevó a la casa del banquete, y su bandera sobre mí fue amor".

—Cantares 2:4 (RVR)

Así se expresa la sulamita con respecto a la clase de intencionalidad que su amado le demostró. Para ir a comer a la casa del banquete es muy posible que hubiera que hacer una cita con anticipación. El esposo tomó la iniciativa de organizar y planificar algo significativo para la esposa. Fíjate que dije que fue el esposo el que tomó la iniciativa, no la esposa. No es solamente responsabilidad de la mujer preparar una noche con velas y crear una atmósfera que conduzca a un tiempo romántico con la pareja. Por otra parte, la bandera de la cual habla la esposa en este verso no fue una bandera de lujuria, sino de amor puro, espiritual, no egoísta y sacrificado. El esposo tuvo la intencionalidad de crear algo fuera de lo común para honrar a su esposa. Intencionalidad es cuando decides cambiar el estatus de tu Facebook y no tratas de ocultar que eres un hombre o una mujer casados. Es escoger la honra y no la deshonra.

Empatía. Según la Real Academia Española, la palabra *empatía* proviene del término griego *empátheia*, que significa tener la capacidad de identificarse con alguien y compartir sus sentimientos. Interesantemente, no todos tenemos esta capacidad de poner al "yo" a un lado y colocar a la pareja en un lugar de prioridad. Una de las cosas que más obstaculiza la dinámica de la comunicación relacional es la inhabilidad de desconectar el mensaje que comunicamos de las emociones que sentimos cuando lo compartimos. Por lo general, somos incapaces

> *Mostrar empatía es hacerte a un lado y darle valor a la opinión de tu cónyuge.*

de hacer esto. Sin embargo, cuando abrazas una actitud empática y reemplazas todo lo que te aísla de ser parte del mundo de tu pareja, las cosas cambian para bien.

La empatía te ayuda a desligarte del yo y enfocarte directamente en las necesidades que tiene tu pareja. Esto permite que seas un mejor centinela dentro de tu relación. La labor de un centinela resulta vital para garantizar la seguridad matrimonial. Si le prestas atención al patrón de comportamiento de tu pareja, podrás darte cuenta de cuál es su necesidad cuando actúa de una manera inusual. Al mostrar empatía, estarás más atento a la inquietud que realmente te está expresando, y no te mostrarás tan dispuesto a entrar en un proceso judicial evaluativo sobre sus sentimientos, y mucho menos a hacer todo un diagnóstico psicológico por lo que tu pareja experimenta. Mostrar empatía es hacerte a un lado y darle valor a la opinión de tu cónyuge.

Estoy totalmente convencido de que uno de los propósitos de Dios al diseñar el matrimonio fue enseñarte a morir a ti mismo y a enfocarte más en tu prójimo, que en este caso es tu pareja.

Moralidad. La moralidad tiene que ver con tu nivel de integridad personal. Toda relación que no tenga como base la honestidad forjará un fundamento que no será capaz de resistir las tormentas que llegan en la vida. El sexo gentil sugiere que estés apercibido para no abrir ventanas hacia posibles sucesos que pueden manchar tu relación. Consideremos lo que nos enseña el apóstol Pablo:

"Cuando ustedes siguen los deseos de la na-
turaleza pecaminosa, los resultados son más
que claros: inmoralidad sexual, impureza,
pasiones sensuales, idolatría, hechicería,
hostilidad, peleas, celos, arrebatos de furia,
ambición egoísta, discordias, divisiones,
envidia, borracheras, fiestas desenfrenadas y
otros pecados parecidos. Permítanme repetir-
les lo que les dije antes: cualquiera que lleve
esa clase de vida no heredará
el reino de Dios".

—Gálatas 5:19-21 (NTV)

Cuando caminas bajo la influencia de cualquiera de estos deseos, arriesgas la integridad moral de tu matrimonio. Esto es más peligroso de lo que creemos muchas veces. Pensamos que una pequeña acción de esta naturaleza no tiene ninguna implicación sobre nuestra vida espiritual, que debido a que la cizaña es muy parecida al trigo da lo mismo la una o el otro.

Si le damos una mirada más cercana a la parábola de Jesús sobre el trigo y la cizaña, aprendemos que ambos pueden crecer juntos y confundir al dueño del terreno. Sin embargo, la Biblia expresa claramente que, en el tiempo de la siega, Jesús mismo dará la orden a los segadores de recoger primero la cizaña para ser quemada.

La moralidad dentro de tu relación será una de las herramientas más fuertes para desvanecer toda desconfianza o cualquier acto de infidelidad del pasado.

Las obras de la carne nunca darán buenos resultados, ni a ti ni a las personas que te rodean, provocando que:

- Te alejes de la presencia de Dios.
- Te alejes de tu pareja y tus seres más queridos.
- Abortes el propósito y la misión de Dios para tu vida.
- Pierdas la paz y el gozo en tu corazón.
- Creas cosas sobre ti que no son ciertas.

Los deseos desordenados son obras incapaces de establecer una buena base sobre la cual construir un matrimonio saludable. No obstante, el final de la parábola declara que el trigo será recogido y traído al granero del Maestro. Tener parte en este granero significa que disfrutarás de la herencia eterna y construirás puentes de confianza y amor entre tu pareja y tú.

La moralidad dentro de tu relación será una de las herramientas más fuertes para desvanecer toda desconfianza o cualquier acto de infidelidad del pasado.

Persistencia. No te rindas en lo que respecta a demostrarle cambios a tu pareja. Persiste. Lucha por tener una relación saludable. Aunque esto suene redundante, el sexo gentil fue diseñado para el disfrute de dos. La mayoría de las personas en nuestras culturas latinoamericanas han crecido con la creencia de que dentro de toda relación sexual debe existir uno que sea dominante, que tenga el control absoluto. Esto, como es de esperarse, conduce a que el que está en control posiblemente obtenga mayores beneficios.

A diferencia de lo que hemos heredado a partir de esta tradición cultural, me gustaría sugerir un concepto un tanto más desafiante: el sexo es el toque más gentil que la pareja posee para demostrar su voto de compromiso y alianza dentro de la relación. De igual manera, el sexo gentil ha sido diseñado para expresar el gesto menos egoísta que podamos describir.

La correlación entre la satisfacción personal y el placer provocado a la pareja es proporcional: mientras mayor placer suministras, mayor satisfacción adquieres. En otras palabras, mientras más te enfoques en satisfacer a tu pareja, mayor será el placer que recibes.

Esto se relaciona mucho con el principio espiritual que hemos escuchado frecuentemente sobre

Mientras mayor placer suministras, mayor satisfacción adquieres.

la siembra y la cosecha. No puedes esperar que crezca un árbol a menos que antes siembres la semilla. Nunca podrás tener una gran plantación de árboles frutales a menos que intencionalmente siembres muchas semillas de esa fruta.

"Plantar la semilla" sexualmente hablando se refiere a tener en cuenta que para que la tierra de tu relación sea productiva y dé muchos frutos, debe ser fertilizada y acondicionada primero. No puedes pretender que tu esposo o tu esposa te corresponda con bombos y platillos, sonrisas y canciones, o que te sirva en bandeja de plata, cuando no te has tomado el tiempo para acondicionar la tierra de sus emociones, la tierra de su espíritu, la tierra de su corazón.

El ser humano ha sido creado tridimensionalmente: tiene espíritu, alma y cuerpo. El espíritu es aquello que te hace responder y reaccionar a la voz de tu Creador. El alma se manifiesta a través de las emociones y los sentimientos del corazón. Y el cuerpo, en lo concerniente a nuestro caso, se expresa y representa a través

Tú eres lo que tus actos demuestran que eres. Tus hechos confirman lo que tus palabras afirman.

del acto fisiológico del sexo. Estas tres áreas operan de manera intrínseca y conjunta frente a las circunstancias que afectan a cada individuo.

Es casi imposible separar la respuesta del alma frente a algo que impacta tu espíritu; y de igual manera, no se puede separar el espíritu frente a una respuesta física de tu cuerpo. Tú eres lo que tus actos demuestran que eres. Tus hechos confirman lo que tus palabras afirman.

Al hablar de una relación matrimonial saludable me refiero a establecer un balance entre estas tres áreas: el espíritu, el alma y el cuerpo. La relación sexual según el diseño de Dios tiene la finalidad de conciliar estas tres dimensiones. El hombre o la mujer que agrede a su pareja está corriendo el riesgo de que exista una carencia de frutos que nutran su relación. En otras palabras, cada vez que lastimas verbal, física o emocionalmente a tu pareja, estás disminuyendo la posibilidad de recoger frutos de bondad o reciprocidad en el sexo.

El sexo gentil promueve exactamente lo contrario, procurando diligentemente que el hombre o la mujer dentro de la relación invierta tiempo, atención, dedicación y recursos para convertir el matrimonio en algo nutritivo, algo que beneficie de forma equitativa a ambos miembros en la dinámica conyugal.

En nuestro Centro de Consejería Internacional hemos visto cientos de casos en los que no se están nutriendo al alma y el espíritu de una manera intencional, sino solo se está alimentando al cuerpo a través de un acto sexual frío que se enfoca en uno de los dos, generalmente en el hombre. Tal cosa causa un distanciamiento que no hace más que perjudicar y desconectar al uno del otro. En términos profesionales le llamamos a esto "desconexión íntima", la cual tiene lugar cuando existe una anorexia emocional, espiritual y física dentro de la pareja. La anorexia íntima nunca debe ser parte de tu relación y es una epidemia que está afectando a incontables matrimonios en la sociedad moderna.

Oportunidades. La vida está llena de oportunidades que a veces simplemente no son aprovechadas al máximo. El plan de Dios es que vivamos vidas plenas junto a la persona con la que hemos decidido compartir todos nuestros días. Por eso es tan importante aprender a reconocer las oportunidades que creamos para activar la intimidad con nuestra pareja. Y no solo reconocerlas, sino también crearlas.

Debes ser un creador de oportunidades y construir mapas de amor que reflejen lo importante que es tu relación para ti. Tu cónyuge nunca sabrá lo especial que es él o ella a menos que se lo hagas saber. Atrévete a caminar la milla extra para fortalecer tu relación. Esposo, no esperes a que ella sea la que inicie. Esposa, ayuda a que tu marido encuentre en ti una fuente que vivifique

> *Tu cónyuge nunca sabrá lo especial que es él o ella a menos que se lo hagas saber. Atrévete a caminar la milla extra para fortalecer tu relación.*

su experiencia y que anhele estar contigo. Aprende a identificar los detalles que llenan su corazón a plenitud.

Crear oportunidades es aprender a añadirle valor a tu pareja, es aprender a sumar y no a restar. Significa estar en sintonía constante con tu pareja para identificar las cosas que son relevantes y nutren la relación. Presta atención y conviértete en alguien que esté parado en la brecha defendiendo y protegiendo tu matrimonio como uno de los regalos más valiosos que Dios te ha entregado.

9 LO QUE EL SEXO GENTIL NO TOLERA

por Jorge

En el prefacio de su libro *El hombre y la sexualidad*, los Penner, una pareja de autores cristianos, ofrecen una lista de las diez recomendaciones para crear una vida sexual fabulosa.[8] Aquí las enumero:

1. El factor vital para que haya una relación sexual fabulosa en el matrimonio gira alrededor del papel del varón.

2. El varón debe moverse en dirección de las necesidades de la mujer.

3. La mujer debe aprender a recibir.

4. La mujer debe sentirse libre de dirigir la experiencia sexual.

5. El hombre debe avanzar con mucha calma.

6. Es necesario que el hombre sea flexible, sin una "agenda" preestablecida en cuanto a la forma en que deben suceder las cosas.

7. Tanto el marido como la mujer deben entrar en el proceso sexual por el placer que les proporciona, no por los resultados.

8. Si uno de los dos fue víctima de maltrato sexual en su niñez, debe curar el trauma.

9. La satisfacción mutua es la expectativa de toda experiencia sexual.

10. Resulta vital que sepan cómo opera sexualmente el cuerpo.

Creo que estos diez fundamentos ayudan a crear una base extraordinaria para entender algunas cosas que podemos descubrir que el sexo gentil no tolera.

El sexo no existe para demostrar o comprobar algo

"¡Soy un súper macho!". "¡Soy la mujer maravilla en la cama!". "¡Tengo dotes sobrenaturales!". "¡Nadie hace el sexo como yo!". "¡Soy un prodigio!". Estas son algunas de las expresiones que estamos acostumbrados a escuchar provenientes tanto de hombres como de mujeres. Sin embargo, mi pregunta es, ¿estarán basadas en la experiencia que se vive personalmente, o en la respuesta que se obtiene de la pareja? Por lo general, estas expresiones representan esa característica que poseen algunos ejemplares de la especie humana que los hace enfocarse en sí mismos, describiéndose y asumiendo una posición bastante egocéntrica y un tanto arrogante.

Hablando sobre algunos hombres, ellos asumen que debido al tamaño del pene o a saber articular algunos trucos en la cama, son los "reyes de la selva". Y hablando sobre algunas mujeres, ellas han conceptualizado la idea de que si se niegan en la cama van a ganar más poder en su relación y manipularán a los hombres.

Ambas conductas necesitan ajustes. Ambas posturas reflejan el resultado de una actitud arrogante e inmadura que termina sin demostrar nada en absoluto... ¡solo que del sexo gentil no conoce absolutamente nada!

El sexo gentil tiene que ver con la habilidad de atraer, captar, transportar, saturar, colmar, satisfacer y nutrir el espíritu, el alma y el cuerpo de tu pareja. ¡Sí, dije el espíritu! ¡Sí, dije el alma! El sexo va mucho más allá de lo anatómico. Es una decisión en la que tanto el hombre como la mujer crean condiciones para llevar a cabo una fusión que provoca quebrantamiento en el espíritu, satisfacción en el alma y, por supuesto, placer en el cuerpo.

La satisfacción del alma trae alegría al corazón. Es como cuando escuchamos el sonido atronador del narrador de fútbol de nuestro equipo favorito gritando: ¡Gooooool! La satisfacción del alma te hace desear estar todavía un minuto más con tu pareja, querer detener el tiempo para disfrutar y atesorar uno de los mayores regalos dados por Dios al ser humano, su compañía.

En las dos estrofas iniciales de la primera canción romántica que le escribiera y dedicara a mi esposa, descri-
bo exactamente a lo que me estoy refiriendo aquí:[9]

Cuando el silencio dice más que las palabras
Cuando un verso de ternura sopla a mi alma una canción
Cuando el eco de tu voz diseña el aire en mil colores
Cuando mi mundo se enloquece con un adiós

Cuando las horas se prolongan por tu ausencia
Y mi cielo al mediodía se ennublece si no estás
Cuando entrego la razón al sentimiento
Es una muestra de que aún existe amor...

Esta es una canción que describe el anhelo de disfrutar
de la compañía de la persona amada y el descontento
que produce no encontrarse cerca el uno del otro. El
esposo debe añorar la presencia y la compañía de su
esposa. El esposo debe anticipar fervientemente estar
cerca de su ayuda idónea, porque de esta manera se siente más seguro, más completo. De igual forma, la esposa,
debe anticipar con vehemencia la llegada de su amado.

Esto lo vemos muy claro en el último capítulo y el último verso del libro bíblico Cantar de los cantares, cuando la sulamita expresa su ferviente deseo:

> *"Apresúrate, amado mío, y sé semejante al corzo, o al cervatillo, sobre las montañas de los aromas".*

—Cantares 8:14 (RVR-60)

En mis propias palabras:

> *"Regresa a mí, cariño mío. Aquí estoy esperándote, y verás que vale la pena esperar y correr por mi amor".*

¡Qué diferente es la actitud de una mujer que se siente deseada por su esposo, o del hombre que se siente admirado y respetado por su esposa! ¡Qué distintas son las respuestas emocionales que ambos experimentan!

El sexo no existe para crear distancia

Como dijera antes, la distancia puede matar tu relación. Tener sexo no significa que estás necesariamente conectado con tu pareja. Muchas esposas confiesan experimentar la mayor soledad dentro de su matrimonio aun cuando se mantienen sexualmente activas con sus esposos. En vez de sentirse integradas a la relación, revelan por el contrario que son simplemente un objeto que le provee placer a su esposo. Esto lo escuchamos cada vez más en nuestro centro de consejería. Consideremos el siguiente caso para ejemplificar este punto.

> *Muchas esposas confiesan experimentar la mayor soledad dentro de su matrimonio aun cuando se mantienen sexualmente activas con sus esposos.*

Fernando y Beatriz

Casados ya por casi veinte años, Fernando y Beatriz se conocen desde que estaban en la escuela secundaria. Fernando tuvo experiencias sexuales con otras mujeres y admite haber batallado con la pornografía y la masturbación desde muy temprana edad. Con el paso del tiempo, la pasión que una vez caracterizaba su relación se ha neutralizado. Beatriz no logra entender por qué se siente utilizada como un objeto, y las pocas veces que Fernando la busca, es la última de las muchas responsabilidades que desea cumplir. Piensa que tener sexo con Fernando es una tarea más que debe completar. Esto provoca en ella una actitud de hipersensibilidad, porque no se siente valorada ni amada por su esposo. Fernando tampoco puede describir la razón por la cual se siente rechazado, alegando que Beatriz no le corresponde con la misma intensidad que él dice mostrarle a ella. Se consideran buenos amigos, no tienen grandes peleas, pero no están seguros de que su relación pueda sobrevivir con el gran abismo que separa al uno del otro.

Es trágico descubrir la cantidad de matrimonios que nos contactan bajo las mismas condiciones de Fernando y Beatriz. Es ilógico descubrir que dos seres que se han jurado amor y han hecho esta clase de compromiso puedan estar bajo el mismo techo y albergar tanta distancia entre ellos. El uso incorrecto de un gesto, un toque, o incluso un comentario puede contribuir a enfriar la pasión tanto en el hombre como en la mujer. Fernando nunca tuvo la oportunidad de entender cuál era la raíz de su adicción a la pornografía y la masturbación, pero tampoco entendía que su apego a estas prácticas pudiera producir menos deseos de estar con Beatriz. Esta pareja necesitaba redescubrirse con honestidad y comenzar a trabajar en esas áreas grises que habían creado tal despeñadero entre ellos. La presencia de un contacto emocional, espiritual y sexual saludable acorta el trecho entre dos seres que han prometido amarse en las buenas y en las malas, en la salud y en la enfermedad.

Es primordial recalcar que la distancia puede crearse en tres dimensiones dentro de una relación:

- Distancia emocional.

- Distancia espiritual.

- Distancia física o sexual.

En muchos casos, la distancia sexual es el resultado de la ausencia de conexión emocional y espiritual. Cuando logras integrar a tu pareja a tu mundo interior y compartes tus emociones, temores, pasiones, sueños y decisiones, entonces la probabilidad de derribar estas barreras será más alta.

La adicción sexual crea distancia

Cuando la adicción sexual ha sido parte de las causas de esta división, es pertinente aplicar otros filtros para resolver los conflictos. Patrick Carnes lo describe de la siguiente manera: "La adicción es una relación, una relación patológica en la cual la obsesión sexual reemplaza a las personas. Y esta puede empezar desde muy temprana edad. La creencia central final del adicto resulta claramente definida: "El sexo es mi necesidad más importante"".[10]

Muchos hombres son adictos al sexo y nunca han sido diagnosticados. Sus expectativas en el matrimonio se centran alrededor de lo que pueden recibir de sus esposas. Su estabilidad se fortalece en el puro acto sexual, y según su sistema de creencias, su felicidad está directamente asociada a cuántos orgasmos pueden experimentar a la semana. En casos extremos, al día. Es triste pensar que miles de mujeres viven con la presión de tratar de satisfacer esta clase de demanda, la cual puede tener su raíz en una condición enfermiza no tratada profesionalmente.

El objetivo de todo consejero es crear un sistema donde tanto el esposo como la esposa puedan estar alertas de sus condiciones individuales y así convertirse en un punto de apoyo que edifique los cimientos para un matrimonio saludable. Esta es la clase de matrimonio que Dios ha establecido, aquel donde la confianza y el compromiso forjan vínculos que cada vez más derriban las barreras que separan al esposo de su esposa, y viceversa.

Así como vimos en el caso de Fernando y Beatriz, la distancia entre ellos ya venía creciendo en el área emocional. No existía la confianza suficiente para que ella le explicara que se sentía como otro objeto más de su colección. Gracias a Dios, luego de algunos meses de tratamiento, esta pareja pudo superar la crisis.

El sexo no existe como un mito religioso

El placer que sentimos en el cuerpo es algo que claramente no necesita mucha explicación. Este es resultado de celebrar el clímax de momentos que, aunque parezcan efímeros, dejarán sus huellas y plasmarán sellos de honra en cada persona comprometida con su pareja. Este placer refuerza el sentido de pertenencia que solo se obtiene a través del acto sexual.

Miles y miles de matrimonios están dejando de disfrutar del placer que se obtiene a través de este gran regalo de Dios, especialmente dentro de las iglesias.

Miles y miles de matrimonios están dejando de disfrutar del placer que se obtiene a través de este gran regalo de Dios, especialmente dentro de las iglesias. Hablar del sexo o discutir algún tema relacionado con la intimidad se ha catalogado como algo inapropiado y prohibido. Se ha confundido el concepto de servir a Dios con un espíritu de religiosidad que ha degenerado la pureza de algo tan sublime.

Muchos pastores y ministros ni siquiera se permiten abordar este tema. ¡Esto es una gran pena! Mientras mayor sea la apatía hacia este asunto, mayores problemas continuarán enfrentando los ministros y líderes espirituales. Mi propuesta es que, aunque no sean expertos en esta materia, por lo menos entiendan la importancia que hay en proveer sabiduría y remitir correctamente a la consejería profesional a tantos matrimonios que acuden a ellos en busca de ayuda.

> *El sexo gentil es un acto que te hace morir a todo orgullo, quebranta tu espíritu y te acerca más no solo a tu pareja, sino también a Dios.*

El sexo es algo tan sagrado como lo es el acto mismo de recibir los símbolos de la comunión durante un servicio de adoración. El acto sexual dentro de los vínculos del matrimonio resulta tan sublime como lo es el acto del lavamiento de los pies. Algo que a menudo recomendamos cuando una pareja está en proceso de perdonar alguna infidelidad o en camino hacia la recuperación de alguna adicción es que, en una actitud de humildad, se unjan con aceite el uno al otro y se presenten ante Dios juntos en oración como una ofrenda a Él.

El sexo gentil es un acto que te hace morir a todo orgullo, quebranta tu espíritu y te acerca más no solo a tu pareja, sino también a Dios. El quebrantamiento en el espíritu nace a raíz de una actitud que te enseña a ceder tu derecho. En términos de comunicación, cuando decides mostrarle tu amor a alguien, te haces completamente vulnerable y estás dispuesto a darle la razón al otro, aun cuando piensas que tú la tienes. Algo similar sucede durante el sexo gentil. Tu objetivo principal será poner a tu pareja primero, y al hacer esto no solo mueres a ti mismo, sino también pones a Dios en un lugar de preeminencia.

Quiero compartir el tercer verso de mi canción dedicada a Danisa para corroborar este punto:

Cuando tus ojos filtran luz con tu mirada
Y tus manos purifican con perfume nuestro altar

Cuando tus labios, tan sagrados, me bendicen
Es evidencia de que aún existe DIOS...

Sí, amados lectores, el sexo gentil es un acto tan sublime y espiritual como cualquier otra ofrenda que le presentamos a Dios en el altar de adoración.

En un análisis exhaustivo de treinta y tres estudios durante los últimos ochenta años publicado por *Psychology Today* se cita a la filósofa de la ciencia estadounidense Elisabeth Lloyd, cuyo trabajo se ha centrado en el análisis filosófico de la biología. Ella revela en una de sus publicaciones la alarmante cifra de que solo un veinticinco por ciento de las mujeres alcanzan el orgasmo consistentemente durante

La mujer no es alguien que tratas como si fuera un objeto. Ella es el vaso más frágil.

el acto sexual. Tal cosa significa que un setenta y cinco por ciento de las mujeres desconocen el placer orgásmico que una relación puede ofrecerles. ¡Estas mujeres ni siquiera pueden definir lo que es un orgasmo según los datos mencionados!

¿Por qué será esto? ¿Cómo es posible que exista tan alto índice de mujeres insatisfechas? Es muy simple. La mujer es la pieza delicada del rompecabezas. La mujer no es alguien que tratas como si fuera un objeto. Ella es el vaso más frágil. No es lo mismo tomar agua en un vaso plástico desechable que pierde su forma cuando lo aprietas en tus manos que en un vaso de cristal.

La realidad es que el sexo es un toque que tiene la capacidad de elevar el potencial; de purificar el alma, el corazón y el cuerpo de cada miembro en una relación matrimonial. Cuando un hombre y una mujer se entregan físicamente, están poniendo al descubierto la parte más vulnerable de sus vidas: la sexualidad. El acto sexual tiene la capacidad de reducirte a tu más mínima expresión y conducirte a la mayor vulnerabilidad que cualquier ser humano puede experimentar. Por eso es que la Biblia es tan clara cuando se refiere a la pureza sexual y exhorta a que el hombre de Dios sea esposo de una sola mujer (véase 1 Timoteo 3:2, RVR-60).

El hombre tiene la capacidad de transformar a la mujer de ese vaso desechable en el vaso del cristal más fino que jamás hayas conocido. Cuando el hombre ama a su esposa, corrobora su identidad y reafirma su capacidad de sentirse como una pieza importante, como parte de la realeza, como hija de un Rey.

El amor verdadero ya ha sido definido:

> *"El amor es paciente y bondadoso. El amor no es celoso ni fanfarrón ni orgulloso ni ofensivo. No exige que las cosas se hagan a su manera. No se irrita ni lleva un registro de las ofensas recibidas. No se alegra de la injusticia sino que se alegra cuando la verdad triunfa. El amor nunca se da por vencido, jamás pierde la fe, siempre tiene esperanzas y se mantiene firme en toda circunstancia".*

—1 Corintios 13:4-7 (NTV)

Leamos pues el mismo pasaje, pero esta vez con reverencia máxima y sustituyendo la palabra "amor" por lo que a mi parecer debería ser el sinónimo del amor verdadero: el sexo gentil. He aquí la versión que me gustaría proponerte:

El sexo gentil es paciente y bondadoso. El sexo gentil no es celoso ni fanfarrón ni orgulloso ni ofensivo. No exige que las cosas se hagan a su manera. No se irrita ni lleva un registro de las ofensas recibidas. No se alegra de la injusticia sino que se alegra cuando la verdad triunfa. El sexo gentil nunca se da por vencido, jamás pierde la fe, siempre tiene esperanzas y se mantiene firme en toda circunstancia.

Si consideras el acto sexual en santidad como uno de los lenguajes de mayor dignidad que Dios haya creado para el ser humano, entonces entenderás que debe ser exclusivamente reservado a fin de experimentarse con la persona que has escogido para ser testigo de todos los momentos de tu vida. En este pasaje también encuentras una fuente de esperanza para volver a creer que la sexualidad que Dios le ha regalado a tu matrimonio puede ser restaurada hasta alcanzar su mayor potencial.

El sexo no existe para establecer dominio

Uno de los sinónimos de la palabra "dominio" es *superioridad*. Sentirte superior al otro automáticamente neutraliza la capacidad de dejarte influenciar por tu pareja. Esta actitud se traduce como desprecio. De los cuatro mayores pronosticadores de divorcio en los matrimonios (la crítica, la actitud defensiva, el desprecio y el bloqueo emocional), el desprecio es

El matrimonio es un equipo del cual fluye mayor sabiduría cuando dos corazones procesan todo juntos.

el peor de todos. Y es precisamente eso lo que producen los sentimientos de superioridad, el creerse más inteligente, atractivo o influyente y menospreciar a la pareja. Debajo de estas características oscila un deseo personal, una necesidad, algo que busca lo suyo. Y las relaciones se convierten en un lago de desprecio cuando tales necesidades personales no son satisfechas con el tiempo. A fin de crear una atmósfera opuesta, ¿por qué no fomentar una cultura de apreciación, respeto y admiración?

A través de mi experiencia en la consejería matrimonial he llegado a la conclusión de que los matrimonios más saludables son aquellos en los que tanto el esposo como la esposa han aprendido a recibir influencia el uno del otro. El matrimonio es un equipo del cual fluye mayor sabiduría cuando dos corazones procesan todo juntos.

Esteban y Cindy

Esteban estaba buscando una camioneta nueva y había fijado sus ojos en el modelo básico de una marca líder en el mercado. Él temía que si incluía a Cindy en este proceso, ella iba a impedirle escoger dicho modelo, lo cual parecía una amenaza directa para que Esteban viera arruinado sus planes. Cindy solo se enteró de que su esposo estaba contemplando la posibilidad de adquirir un nuevo vehículo, pero no tenía conocimiento de cuánto costaría o el tiempo que le tomaría a Esteban completar el proceso. En el curso de solo una semana, Esteban se apareció en la casa con una camioneta nueva. Cindy, como era de esperarse, recibió la noticia como si alguien le hubiera echado una cubeta de agua fría. "¿Pero por qué nunca me incluyes en tus planes?", argumentó Cindy. Esteban le respondió: "¿Cómo que no? Ya te había dicho que necesitaba comprar una camioneta". Entonces Cindy le confesó: "Desde que me mencionaste que querías la camioneta, había pensado que quizás el modelo básico no era la mejor opción. Pensaba sugerirte que podíamos usar parte del dinero que me regaló mi padre para comprar un modelo más actualizado".

Cuando existe una buena comunicación, los resultados siempre serán más beneficiosos.

Esto es solo un ejemplo de cómo la influencia pudo aportar algo provechoso para Esteban. Por lo general, cuando existe una buena comunicación, los resultados siempre serán más beneficiosos.

"Sí, mi amor. Haremos lo que tú digas". Estas son palabras muy comunes que el hombre machista desea escuchar como parte del vocabulario de su esposa, pues considera que invitarla a ella para que lo ayude a tomar una decisión pone en dudas su liderazgo. También está la variante de pensar que renunciar a ejercer influencia no es más que una posición de resignación para evitar la confrontación. Si realmente queremos añadir valor a nuestra pareja, entonces debemos aceptar su influencia y considerarla algo que impactará favorablemente la relación. Después de extensos estudios científicos por más de cuarenta años, John Gottman, profesor emérito en psicología que se ha enfocado en la estabilidad matrimonial y el análisis de las relaciones, nos sugiere: "Lo que comprobamos fue que los matrimonios más felices y estables a largo plazo eran aquellos en los que el marido trataba a la esposa con respeto y estaba dispuesto a compartir el poder y la toma de decisiones con ella".[11]

Querer asumir el dominio puede ser una muestra de debilidad. El dominio excesivo demuestra que existen inseguridades internas que roban la libertad de tu expresión. El liderazgo del hombre dentro de un matrimonio no es una posición o un título que debe defenderse. Más bien, es una condición que demuestra un corazón comprometido con la salud de la pareja.

El sexo no existe para castigar, controlar o manipular al otro

El sexo gentil no es una herramienta de control. No se puede castigar a la pareja privándola de disfrutar de la fuente de placer que le ha sido otorgada. Escuchamos con mucha frecuencia que hay mujeres que usan el sexo como instrumento para manipular al esposo. De igual manera, algunos hombres acostumbran a emplear la misma práctica. Esto es muy peligroso por varias razones. Una de ellas se debe a que puedes exponer a tu pareja a estar sexualmente vulnerable o hambrienta si no la alimentas en casa. Esta razón no tiene como objetivo justificar al hombre o a la mujer para que tengan licencia de buscar experiencias fuera del matrimonio. Absolutamente no. Sin embargo, el nivel de incidencia puede aumentar si tu cónyuge permanece hambriento o deseoso, sexualmente hablando. La otra razón es que cuando tratas de manipular a tu cónyuge con el sexo puedes estar violando el principio bíblico de que tu cuerpo no te pertenece a ti, sino a tu pareja. Las Escrituras señalan:

> *"La mujer no tiene potestad sobre su propio cuerpo, sino el marido; ni tampoco tiene el marido potestad sobre su propio cuerpo, sino la mujer"*
>
> **—1 Corintios 7:4 (RVR-60)**

La actitud de querer controlar o manipular a través del sexo tiene un origen egoísta y no conduce a una relación saludable. Lo mismo sucede cuando tratas de castigar a tu pareja al negarle la oportunidad de pasar tiempos de intimidad juntos. Todo lo que se origina bajo el espíritu de control o manipulación no produce paz ni proviene de Dios.

10 LA VERDADERA GRANDEZA

por Jorge

lguna vez has escuchado a alguien decir: "Me siento más pequeño que una hormiga"? Esta expresión tiene su base en el hecho de que las hormigas son consideradas como uno de los insectos más pequeños e interesantes en nuestro hermoso planeta. En el reino de las hormigas observamos valores que no los podríamos aprender aunque paguemos la mayor cantidad de dinero en la universidad más prestigiosa del mundo. Las hormigas trabajan en equipo. Ellas tienen la habilidad de construir edificaciones que, por sus dimensiones en relación con sus diminutos y delicados cuerpecitos, pudieran compararse a las grandes pirámides egipcias que construyeron nuestros antepasados. ¿Cómo lo hicieron? ¿Cómo lo han logrado? ¿Cuál ha sido su estrategia? Las grandes pirámides egipcias fueron construidas sin ninguna maquinaria como las que conocemos en la actualidad. ¿Te imaginas cuántas personas se requirieron para levantar tan solo un bloque de ese material tan resistente, y cuántas más para llevarlo hasta los puntos más altos de esas edificaciones tan sorprendentes? Eso es algo para lo que simplemente no tenemos respuesta. Sin embargo, en mi opinión, creo que sí existe una explicación. Al igual que las hormigas, los egipcios descubrieron la potencia que se desarrolla cuando se trabaja en equipo.

De igual manera, el matrimonio conlleva un trabajo en equipo, por lo que me atrevo a profetizar que cuando te determinas a unir tus fuerzas con las de tu pareja, podrás alcanzar lo inalcanzable y ver sueños que imaginaste imposibles hechos realidad. El matrimonio es un convenio, un pacto de dos personas que han tomado la decisión de formar un mismo equipo, no dos.

El matrimonio implica una decisión que se toma una sola vez. Cuando dijiste "sí" en aquel altar, dijiste "sí" todos los días de tu vida. Declaraste que aceptas la responsabilidad de cuidar y velar por el bienestar de la persona que amas, a la que escogiste para que sea testigo de todos tus momentos. Fue allí, en ese pacto, donde aprenderías a morir a ti mismo.

Cuando dijiste "sí" en aquel altar, dijiste "sí" todos los días de tu vida.

He pensado mucho sobre este concepto de morir a uno mismo y he llegado a la conclusión de que el matrimonio fue diseñado por Dios para "matarnos". Sí, dije "matarnos". Se trata de un proceso en el cual aprendes a morir a tu "yo". Cuando mueres a ese egoísmo que solo busca lo suyo, que solo está pendiente de sus propias necesidades, que solo se enfoca en querer encajar en el molde que este mundo nos ha enseñado en el que solamente cabe uno, entonces comienzas a vivificar tu matrimonio y finalmente a ceder el paso.

En estos tiempos, la idea de que "somos dos y no uno" resulta tan obsoleta como pensar en que el matrimonio está conformado por tres personas y no por dos. La verdadera estructura matrimonial se establece cuando invitas a Dios como testigo presencial de tus decisiones y del compromiso de honrar a tu pareja por encima de tus prioridades, amistades, familiares, finanzas y todas las otras cosas que puedan reemplazar a tu cónyuge.

Para ser grandes, primero tenemos que aprender a ser pequeños. Para ser buenos líderes, primero tenemos que aprender a servir a los demás. La esencia de un buen esposo y una buena esposa comienza con aprender a servirse el uno al otro. La verdadera grandeza viene a raíz de asumir una posición de siervo.

> *La esencia de un buen esposo y una buena esposa comienza con aprender a servirse el uno al otro. La verdadera grandeza viene a raíz de asumir una posición de siervo.*

Si Jesús, siendo el unigénito Hijo de Dios, se despojó de su trono y con el precio de su muerte vino a comprar nuestra redención trayendo una influencia optimista para toda la humanidad, ¿cuánto más nosotros que somos sus coherederos deberíamos ejercer el poder de dicha influencia sobre nuestros matrimonios?

La Escritura lo expresa de la siguiente manera:

"Haya, pues, en vosotros este sentir que hubo también en Cristo Jesús, el cual, siendo en forma de Dios, no estimó el ser igual a Dios como cosa a que aferrarse, sino que se despojó a sí mismo, tomando forma de siervo, hecho semejante a los hombres; y estando en la condición de hombre, se humilló a sí mismo, haciéndose obediente hasta la muerte, y muerte de cruz".

—Filipenses 2:5-8 (RVR-60)

Quizás estés pensando en el deseo que tienes de preservar tu relación matrimonial, aquella que honra a Dios y a tu pareja. Te preguntarás: "¿Cómo puedo honrar este pacto?". Estas son algunas de las áreas que deberás evaluar, considerando si en tu vida todavía existen algunas de las siguientes condiciones, y de ser así, buscar ayuda profesional o pastoral para superarlas:

- Presencia del pecado, de la mentira.
- Negligencia espiritual.
- Ausencia de compromiso.
- Influencia cultural.
- Opinión de la familia.
- Incesto emocional hacia los hijos.
- Control financiero.
- Existencia de adicción sexual: pornografía, o comportamientos compulsivos sexuales que ponen a riesgo tu vida social.
- Adicción a sustancias.
- Traumas del pasado no resueltos.
- Recuerdos y asociación de relaciones anteriores.
- Abuso sexual.
- Fantasías sexuales.
- Actitud defensiva.
- Apego inapropiado al padre del sexo opuesto.
- Bloqueo emocional.

- Demostración incontrolable de ira y críticas, o permanencia en silencio.

- Desprecio.

- Falta de perdón.

- Infidelidad.

- Carencia de deseo o apetito sexual.

- Rutina, la relación te aburre.

Si eres capaz de meditar y descubrir algunas de las áreas que todavía te pudieran estar impidiendo disfrutar de un matrimonio a plenitud, estás en el camino correcto para descubrir la verdadera grandeza en cuanto a ti y tu matrimonio.

Dios ha diseñado la institución del matrimonio para que a pesar de que contribuya a tu muerte como dijimos antes, también tenga la capacidad de traerte vida. El matrimonio es un manantial que te permite una aceptación de ti mismo y tu pareja; y digo aceptación, no tolerancia irracional. Además, en ese manantial puedes disfrutar de una libertad sin límites; y digo libertad, no libertinaje.

El matrimonio es la institución donde tus fortalezas son admiradas y valoradas, y donde tus debilidades tienen el lugar y el espacio a fin de convertirse en pilares de protección para los dos. Cuando Dios concibió la idea de unirte a tu cónyuge, Él ya había resuelto la ecuación de las variables que existen en ti y en tu pareja. Él es un Dios que lo tiene todo calculado con anticipación.

La pregunta primordial es: ¿Estás dispuesto a adoptar una posición de servicio dentro de tu matrimonio? Si en este momento te presentan la oportunidad de escribir un nuevo acuerdo para reestablecer las bases sobre las cuales está fundamentada tu relación, ¿te atreverías a avalar los términos y responsabilidades que vienen con este acuerdo? ¿Te atreverías a morir a tus propios deseos, necesidades y sueños para darle paso así a los de tu pareja? La verdadera grandeza nace cuando aprendemos a morir. Es por eso que tuvo que haber un sacrificio de muerte para abrazar la vida. A través de su muerte, Jesús pudo efectuar el único pago capaz de erradicar de una vez y por siempre el efecto del pecado que afligía a toda la humanidad.

Hoy tú también puedes vivir bajo la esperanza de que, en Cristo, todas las cosas son hechas nuevas. Tu matrimonio encuentra vida con tu muerte espiritual, con abrazar un nivel de madurez emocional en el que eres capaz de colocarte en un segundo plano. ¡Atrévete a abordar esta jornada y a descubrir la verdadera dimensión de la grandeza que posees en Jesús! ¡Atrévete a aplicar los principios aprendidos en este libro para disfrutar del mejor tipo de sexo que jamás has imaginado, aquél que promueve tu libertad total... el SEXO DIVINO!

PREGUNTAS PARA PROFUNDIZAR

Contesten estas preguntas individualmente y luego compartan como pareja.

1. ¿Qué concepto o idea tuviste sobre la sexualidad durante tu niñez y adolescencia?

2. ¿Qué piensas hoy? ¿Qué dice Dios sobre tu sexualidad?

3. ¿Hubo algún trauma sexual que no has resuelto?

4. ¿Cuál es el nivel de satisfacción sexual que experimentas en tu matrimonio? (ten en cuenta: frecuencia, calidad, iniciación, roles y variedad).

5. ¿Qué cambios te gustaría ver en tu relación? Lista por lo menos tres cambios.

6. ¿Cómo puedes contribuir a esos cambios?

7. ¿Cómo te describiría tu pareja espiritual, emocional y sexualmente?

8. ¿Piensas que pudieras necesitar ayuda médica?

9. ¿Piensas que pudieras necesitar ayuda espiritual? Si tienes algo que confesarle a tu pareja (adicción sexual, adulterio, etc.) te aconsejamos hablar con tu líder espiritual para que te guíe en este proceso.

10. ¿Piensas que pudieras necesitar ayuda profesional en alguna área de tu vida íntima, como terapia matrimonial o terapia sexual?

NOTAS

1. Sexualidad al Dente® es el título de una de nuestras conferencias más exitosas.

2. Estas ideas han sido tomadas de *Healthy Sexuality* [Sexualidad saludable] de Clifford y Joyce Penner.

3. *The British Medical Journal*, diciembre de 1997.

4. Dr. Paul Pearsall, *Sexual Healing* [Sanidad sexual], Crown, primera edición, 8 de marzo de 1994.

5. *Psychological Reports*, junio de 2004.

6. *Las principales hormonas y sus funciones*, The Endocrine Society.

7. Drs. Douglas E. Rosenau y Deborah Neel, *Covenant Lovers*, p. 128.

8. Clifford y Joyce Penner, *El hombre y la sexualidad*, Grupo Nelson, 20 de enero de 1998.

9. "A pesar de todo", canción del CD titulado "Soy libre", 2003.

10. Patrick Carnes, *Out of the Shadows: Understanding Sexual Addiction* [Fuera de las sombras: Comprendiendo la adicción sexual], Hazelden Information & Educational Services, 23 de mayo de 2001, p. 102.

11. John M. Gottman y Nan Silver, *Siete reglas de oro para vivir en pareja: un estudio exhaustivo sobre las relaciones y la convivencia*, Penguin Random House, Grupo Editorial España, 13 de septiembre de 2012.

Danisa Suárez es la directora clínica del Centro de Consejería Internacional en Colorado Springs, el cual fundó junto a Jorge, con quien está casada desde hace veintiocho años. Juntos tienen dos hijos, Dan Jorge y Sainad. Danisa posee una maestría de Salud Mental en Consejería Psicológica y estudios de postgrado como terapeuta sexual. Tanto como terapeuta, así como conferencista internacional, una de sus metas principales es traer la luz de la Palabra de Dios a temas difíciles y confusos, como lo es la sexualidad humana y el matrimonio.

Jorge Suárez es el director ejecutivo del Centro de Consejería Internacional en Colorado Springs. Él es más conocido por su trayectoria como adorador, la cual lo llevó a más de veinte países alrededor del mundo con seis producciones musicales. Aunque junto a Danisa siempre trabajaron como consejeros matrimoniales a nivel del ministerio, fue cuando ella incurrió en estudios de postgrado como terapeuta sexual que Jorge sintió la necesidad de incursionar en este campo. Habiendo completado una maestría en Estudios Bíblicos, inicio un arduo proceso para certificarse como Consejero Pastoral de Adicciones Sexuales y como Consejero Matrimonial en The Gottman Institute.

Juntos trabajan como equipo ayudando a las parejas en medio de crisis matrimoniales tales como el adulterio, la apatía emocional o sexual y las adicciones sexuales, entre otras. Su modalidad de terapia es muy única, con el formato de sesiones clínicas intensivas diseñadas a la medida de cada matrimonio. Cuando no están en su centro atendiendo pacientes, viajan por cualquier parte del mundo haciendo que las personas tomen conciencia y educando sobre el matrimonio y la sexualidad a la luz de la Biblia, manual por el cual filtran todos sus conocimientos profesionales.